O CAMINHO ESPIRITUAL PARA A FELICIDADE

JUNG MO SUNG

O CAMINHO ESPIRITUAL PARA A FELICIDADE

Direção Editorial: Pe. Fábio Evaristo R. Silva, C.Ss.R.
Coordenação Editorial: Ana Lúcia de Castro Leite
Copidesque: Bruna Vieira da Silva
Revisão: Luana Galvão
Sofia Machado
Diagramação e Capa: Tiago Mariano da Conceição

Dados Internacionais de Catalogação na Publicação (CIP)
(Câmara Brasileira do Livro, SP, Brasil)

Sung, Jung Mo
O caminho espiritual para a felicidade/ Jung Mo Sung. – Aparecida: Editora Santuário, 2018.

ISBN 978-85-369-0546-4

1. Autorrealização 2. Conduta de vida 3. Espiritualidade 4. Felicidade 5. Meditação 6. Sabedoria 7. Solução de problemas I. Título.

18-16574 CDD-158

Índices para catálogo sistemático:
Felicidade: Psicologia aplicada 158
Iolanda Rodrigues Biode - Bibliotecária - CRB-8/10014

1ª impressão

Rua Pe. Claro Monteiro, 342 – 12570-000 – Aparecida-SP
Tel.: 12 3104-2000 – Televendas: 0800 - 16 00 04
www.editorasantuario.com.br
vendas@editorasantuario.com.br

Sumário

Apresentação

Venho de um lugar distante, que não existe mais. Não que o lugar tenha sido destruído ou desaparecido, pelo contrário, agora está mais presente e conhecido no mundo do que nunca. Entretanto, quando voltei lá, pela primeira vez em trinta e dois anos, descobri que meu antigo mundo estava lá, mas não mais. É difícil explicar o que é sentir-se estranho em sua casa. A Coreia do Sul, que deixei em minha infância e que eu imaginara, nos primeiros dias, ter reencontrado, não existia mais.

No Brasil, eu me sinto meio coreano e, na Coreia, eu me senti meio brasileiro. Juntando as duas metades, eu sinto que meu mundo está em algum lugar que não está no Brasil nem na Coreia. Eu imagino que é, mais ou menos isso, que cada vez mais pessoas no mundo sentem, tendo de sair de seu lugar de origem para viver em culturas diferentes.

Esse estranhamento em sua casa ou em seu mundo é uma boa metáfora do que acontece com quase todas as pessoas, pelo menos em algum momento de sua vida.

Sentimo-nos estranhos dentro de nosso corpo ou dentro de nossa vida. Parece que há algo fora de lugar ou que não vai bem, mas não sabemos muito bem o que é. Assim, buscamos ou sonhamos com novos lugares, novos "mundos" e novas situações de vida, sempre na esperança de encontrarmos o "meu verdadeiro lugar". Acho que essa é uma sina que todos nós – ou quase todos – carregamos.

A vida humana é uma grande aventura. Não sabemos muito bem para onde vamos, qual é nosso destino ou objetivo de nossa existência, como também não sabemos o que o futuro prepara para nós. De uma coisa, porém, sabemos: queremos ser felizes; só que nos falta o mapa com as instruções detalhadas. Parece que devemos encontrar ou abrir esse caminho por nós mesmos.

Só que essa caminhada não precisa ser solitária, como também não precisamos reinventar a roda ou redescobrir do zero como fazer o fogo. Podemos caminhar juntos, dialogando e aprendendo com pessoas e tradições do presente e do passado, de nosso mundo e de outros lugares. É essa a proposta deste livro: dialogar e aprender para vivermos uma vida mais feliz.

Quando queremos buscar novos caminhos para atingir algum objetivo, uma boa medida é começar pensando na vida que temos vivido e nas coisas que não deram muito certo até agora. Se não conhecemos os equívocos ou falhas do passado, corremos um sério risco de repeti-los e de não sairmos do labirinto em que podemos estar presos. Por isso, na primeira parte do livro, vamos concentrar mais em fazer um balanço de nossa vida neste mundo meio moderno e meio pós-moderno. Queremos rever um pouco a pressão que a sociedade exerce sobre nós, suas exigências de perfeição, que nos oprime, assim como nossas esperanças, angústias, frustrações e, com isso, aprender de nossas experiências e do diálogo com pensadores e tradições espirituais.

Na segunda parte, vamos explorar ou tentar abrir um caminho que esperamos ser mais humanizante e que nos abra perspectivas de uma vida mais feliz. Nessa parte, vamos continuar dialogando com sabedorias espirituais de diversas tradições para conversarmos sobre amor, perdão, compaixão, desejo, reconciliação, amizade, choro, silêncio e temas que podem nos ajudar a mergulhar em nosso "eu" mais profundo e descobrir belezas e potencialidades ainda não bem conhecidas. Esse diálogo com as tradições filosófico-humanistas e espirituais perpassa todo o livro, mas está mais presente nessa segunda parte.

Alguém poderia perguntar: o que temos para aprender dos antigos, se vivemos em um mundo tecnológico? Concordo que, em questões novas, como comunicação via satélite ou genética, os antigos não têm quase nada a nos ensinar. Porém, a busca humana por uma vida feliz é tão antiga como a humanidade, e a natureza humana não mudou tanto assim. Além disso, com a correria do mundo moderno, os cientistas de nosso tempo não têm tempo para meditar e ensinar sobre essas questões tão "velhas" como a busca da felicidade. Eu creio realmente que as tradições sapienciais e espirituais, que floresceram e frutificaram durante séculos na história humana, que tiveram um longo tempo de amadurecimento em suas reflexões sobre o ser humano e a vida, podem nos fornecer boas pistas e dicas para a nossa jornada. É claro que dialogaremos também com pensadores mais contemporâneos que refletiram sobre essas questões.

Verdades humanas que nos humanizam merecem ser ouvidas atentamente, não importa quando, onde ou por quem foram ditas.

Penso que minha experiência pessoal de viver na "fronteira" de dois mundos, o coreano e o brasileiro, estimula-me continuamente a atravessar a fronteira entre temas teórico-acadêmicos e os mais existenciais, ou então a fronteira entre os diversos campos de conhecimento (na universidade, eu pesquiso a relação entre a religião, economia e educação) como também a que existe entre as diversas tradições espirituais. O mais importante para mim é a busca de "verdades" que nos humanizem mais, que não são propriedades exclusivas de nenhum campo do conhecimento ou de alguma tradição espiritual.

Este livro faz parte dessa minha busca. Eu sinto que minha busca será mais frutífera se partilhada com mais pessoas, pois, no compartilhar, eu vejo mais claramente as coisas que antes estavam obscuras. É por isso que me aventurei em escrever essas reflexões como uma forma de dialogar com você, leitor ou leitora. É um livro de cunho "existencial" que procura refletir sobre a "vida interior", sem esquecer o mundo econômico e social no qual estamos mergulhados, e meditar sobre a relação entre a felicidade pessoal e o amor, a compaixão e a solidariedade.

Ao iniciar os capítulos, só uma sugestão: não tenha pressa! Tome o tempo que achar necessário para pensar e meditar. Leia em seu ritmo. Afinal, a vida não é uma corrida para ver quem chega primeiro a um lugar que os corredores não sabem direito onde fica. O importante é caminhar com coragem e honestidade, procurando se realizar como ser humano e, assim, sentir-se em "casa" em sua própria vida.

1
Buscai o sentido e a alegria de viver

O ritual religioso seguia lento, monótono, com cânticos lentos e incompreensíveis, espalhando odor de incenso no ar. Já fazia quinze minutos que estava ali sentado, esperando que algo acontecesse, mas o tempo no templo budista não corria conforme minha pressa moderna. Tudo seguia seu ritmo, como o fluir da água, que não se apressa só porque seus visitantes têm pressa de chegar a um lugar que não sabe onde é.

Era a primeira vez que eu estava em um templo e em ritual budista. Talvez, em minha infância na Coreia, eu já tivesse estado em algum, mas eu não me lembrava. Estava ali para uma cerimônia religiosa em memória de um parente que havia falecido trinta dias antes. Na verdade, nem o falecido nem seus parentes mais próximos eram budistas ou praticantes de alguma outra religião. Mas exatamente a falta dessa pertença a uma religião os havia levado a prestar uma última homenagem, por meio do que era mais comum e conhecido em sua tradição cultural. Quando perdemos alguém próximo, sentimos a necessidade de lhe prestar alguma homenagem, ou simplesmente expressar a nossa dor pela perda. Nesses momentos, não há como não utilizarmos uma linguagem simbólico-religiosa, pois é a que melhor nos permite exteriorizar a dor e a esperança de que nem tudo acaba com a morte.

Diante da morte de alguém próximo, sentimo-nos quase que compelidos a pensar em nossa própria vida, no tempo que passa e no que temos feito com ela. Embalado por um ritmo que não sei definir, mas que me parecia meio "místico" e que me lembrava dos cantos gregorianos, comecei a olhar em minha volta, como que deixando meu olhar flutuar e deslizar no ambiente sem me fixar em nada. Até que uma frase escrita em uma parede lateral prendeu minha atenção: "Buscai o sentido de ter nascido e a alegria de viver".

O ritual, o ambiente de luto, o cântico "místico", o incenso no ar e tudo mais me estimulava a pensar sobre a vida e a morte. Mas pensar nesse assunto sempre nos dá certa insegurança e desconforto, por isso meu pensamento e o olhar estavam flutuando ao sabor do vento, deixando-me levar por tudo, menos por esse tema. Queria estar ali, mas sem mergulhar demasiadamente nas profundezas da existência humana, nos mistérios da vida e nas questões existenciais que sempre carregamos. Até que aquela frase me pegou!

Fui fisgado, mas, diferentemente de um peixe fisgado por um anzol, não me senti puxado para a superfície, onde já estava. Pelo contrário, esse anzol me levava para lugares mais profundos, para a profundeza de meu ser, em que meus pensamentos, anseios, esperanças e medos ainda estão muito misturados. Um mundo ainda não organizado e controlado pela lógica racional, que tudo tenta classificar, "etiquetar" e domesticar.

Santo Agostinho, em seu famoso livro *Confissões*, diz que Deus me é mais íntimo do que eu a mim mesmo, que Deus está no lugar mais profundo de meu ser do que eu próprio. Não sei até que ponto isso é verdade, mas, seguramente, há lugares profundos dentro de nós que evitamos, preferindo ficar em nossa superfície. O problema é que estar na superfície, ser superficial não nos basta. Afinal, se a viagem pela nossa superfície fosse suficiente para nos encontrarmos, para encontrar o "eu" por trás de nossas máscaras, não ansiaríamos por "algo a mais" em nossa vida; algo que nos escapa o nome, mas que desejamos.

Aquela frase "buscai o sentido de ter nascido e a alegria de viver" me lembrava de dois aspectos fundamentais de nossa existência: o sentido da vida e a alegria de viver. Porém, ela não me dava resposta, mas me incitava a buscar, a encontrar o caminhar. Na verdade, todas ou quase todas as religiões e também filosofias humanistas nos propõem essa busca, pois nós, seres humanos, não nascemos com nosso destino traçado, seja por código genético, seja por estrelas ou vontades divinas. Somos seres de muitas possibilidades, de muitos caminhos e sentidos. Exatamente por isso não sabemos qual o caminho concreto a seguir, qual o sentido da vida tomar.

"Buscai o sentido de ter
nascido e a alegria de viver."
Frase em um mosteiro budista
de São Paulo

Quem não encontra um sentido de vida fica perdido por excesso de possibilidades. Nós nos sentimos perdidos em uma cidade, onde há muitos caminhos e ruas, muitas possibilidades, e não sabemos qual tomar; mas não em um lugar onde só há uma rua, um único caminho. Os animais não humanos não têm crises existenciais nem se sentem perdidos quanto ao sentido de vida, porque eles só têm um caminho a seguir: ser o que eles são. Nós somos diferentes. Não sabemos exatamente o que ser, porque podemos, pelo menos teoricamente, ser muitas coisas e muitos tipos de seres humanos.

Além do sentido, queremos encontrar também um jeito de viver que nos dê alegria no próprio ato de viver. Desejamos a alegria de viver. Aqui é preciso perceber a diferença entre o prazer e a alegria de viver. Prazer é algo que podemos buscar quando queremos. Se estou meio aborrecido ou entediado, quando o dia está meio chato, posso, por exemplo, pegar na geladeira uma boa cerveja gelada, assistir a um bom filme e ter um momento de prazer. O prazer está ao alcance de nossa mão quando buscamos. É claro que nem sempre conseguimos o prazer desejado: mas é algo que depende de nossa vontade. Só que o prazer é momentâneo e tem um limite. Após certo grau, o que nos proporcionava o prazer passa a nos cansar ou tornar-se demasiado. Uma cerveja e um bom filme podem propiciar prazer em uma tarde de chuva, mas caixas de cervejas e vários filmes seguidos acabam por enjoar, por gerar uma sensação contrária: a de desprazer.

Alegria, por sua vez, não depende de nossa vontade. Ela não está a nossa disposição ou diretamente ao alcance de nossa mão. Não ficamos alegres porque queremos, mas porque estamos ou porque conseguimos algo após muita luta. Alegria tem a ver com conquista ou com o modo de viver, e ela não nos cansa nem enjoa. Quanto mais, melhor. Quando estamos muito alegres, mesmo que muito cansados e com sono, fazemos tudo para nos mantermos acordados e prolongarmos essa alegria. Ela dura mais que o prazer; não se restringe a momentos. Alegria é também prazerosa, mas podemos dizer que é um tipo de prazer diferente do prazer mais sensorial que conseguimos com coisas ou pessoas que estão ao nosso alcance. Só conseguimos de modo indireto.

Momentos prazerosos são importantes, mas não são suficientes para preencher a nossa vida com aquela sensação de que vale a pena viver, de que as lutas do dia a dia e as dificuldades enfrentadas valem a pena. Isso tem mais a ver com a alegria de viver. E essa alegria só é possível de modo mais duradouro quando encontramos um sentido de vida que nos humaniza, realiza-nos como seres humanos à medida que caminhamos nele.

O sentido de vida, como todo sentido, é mais uma direção que um ponto de chegada. É como um horizonte que nos abre o futuro e nos dá um rumo, um senso de direção que nos possibilita encontrar significado e valor das coisas. Quando pensamos que nos aproximamos, o horizonte se afasta, convidando-nos a continuar. Assim também a alegria de viver não é um ponto de chegada ou alguma coisa que podemos possuir e guardar para sempre. É um modo de viver que procuramos prolongar, que nos convida a continuar o caminho.

Por isso a sabedoria consiste em *buscar* o sentido da vida e a alegria de viver, e não em possuir ou guardar. Só caminhando – para frente e, ao mesmo tempo, em direção à profundidade de nosso ser –, é que podemos encontrar o sentido e a alegria de viver e, assim, a felicidade, pois podemos dizer com segurança que uma vida vivida com sentido e alegria é uma vida feliz.

A caminhada pela busca de uma vida feliz é meio paradoxal para nosso modo ocidental de pensar. Nós fomos ensinados a ter pensamentos claros e coerentes, mas nem sempre a vida é assim. Querer caminhar para frente e, ao mesmo tempo, para a profundidade de nossa interioridade parece ser algo contraditório. Mais do que contraditório, o aspecto paradoxal da vida nos convida a buscarmos dois horizontes infinitos em direções aparentemente opostas. Parece que não nos encontraremos com nós mesmos nem poderemos viver uma vida verdadeiramente feliz se não tentarmos esse caminho paradoxal, que podemos chamar de um caminho espiritual.

Muitas pessoas pensam que a espiritualidade tem a ver com uma consciência ampliada ou aquisição de algum conhecimento esotérico, reservado a poucas, que permitiriam conhecer as realidades "metafísicas" do mundo espiritual; realidades que iriam além do mundo meramente material. Eu não estou pensando neste sentido. Com a noção espiritual, estou querendo falar da busca pelo sentido mais profundo da vida, da força que nos impele a essa caminhada e nos ajuda a superarmos as dificuldades internas e externas que enfrentamos, assim como da experiência gratificante de sentirmos a qualidade infinita e transbordante, que caracteriza a nossa subjetividade, quando nos encontramos "face a face" com outras pessoas. Uma noção que coloca o foco nas questões mais profundas de nossa vida, inclui a dimensão do conhecimento e agrega também a noção de desejo que nos impulsiona para ação.

Este pequeno livro é um convite a caminharmos juntos nesta trilha. Estou chamando de "o caminho espiritual para felicidade". Não estou pressupondo aqui uma fé ou pertença a uma religião, mas sim o desejo de uma vida verdadeiramente feliz, a abertura para rever as velhas ideias e experimentar as novas, a capacidade para ouvir e aprender com antigas e novas sabedorias espirituais e a disposição de mergulharmos, se preciso for, nas águas mais profundas e densas de nossa existência.

2
Desejamos ser felizes

Sêneca, filósofo do tempo do Império Romano, escreveu no início de seu livro *Sobre a felicidade*: "Todos os homens, irmão Galião, querem viver felizes". O desejo da felicidade, como ele disse muito bem, é natural em todos os seres humanos. Sábios e pessoas comuns, ricos e pobres, livres e escravos, todos compartilham o desejo natural de ser feliz.

Somente pessoas com algum tipo de problema mental desejariam ser infelizes. E, mesmo nesses casos, elas buscam o que pensam ser uma vida que lhes trará mais satisfação e felicidade, mesmo que outras pessoas, consideradas "sãs", digam que é uma vida infeliz. Isto é, pelo menos em uma percepção mais imediata – mesmo que depois venham mudar de ideia –, essa é a vida feliz para elas. Portanto, todas as pessoas desejam naturalmente ser felizes. O problema consiste, então, em saber em que se baseia a felicidade para não cairmos nos erros de confundir a infelicidade com a felicidade. Além disso, como diz Sêneca, o difícil é saber o que torna a vida feliz.

Para Sêneca e também para uma grande parte dos filósofos gregos da Antiguidade, "a vida feliz é a que é conforme sua natureza". Isto é, a felicidade consiste em viver de acordo com a natureza humana e desprezar os acasos da vida. E, para eles, viver de acordo com a natureza do ser humano tem a ver com a virtude, por isso Sêneca diz também que: "O sumo bem é uma alma que despreza as coisas fortuitas e se compraz na virtude".

Em outras palavras, a felicidade consistiria em viver a virtude, viver de acordo com sua natureza. Aqui temos uma ideia meio estranha para nós que vivemos no século XXI. Nós não estamos acostumados a unir a ideia da felicidade com a da virtude. A maioria de nós deseja ser feliz e não virtuoso! Para muitos, a exigência de viver uma vida virtuosa entra em contradição com a busca da felicidade. Virtude nos lembra obrigações morais com outras pessoas, disciplina para conter nossos desejos e outros tipos de limites e restrições – para não falarmos em repressões. Por outro lado, a ideia de felicidade nos remete à realização de nossos desejos, liberdade individual vivida em plenitude, ausência de limites, a restrições e repressões. Para nós, o desejo natural da felicidade tem a ver mais com o desejo da realização de nossos desejos, uma questão individual. Enquanto a virtude pressupõe, necessariamente, relações boas ou corretas com outras pessoas ou viver segundo a natureza.

Alguém poderia dizer: por isso estamos vivendo no século XXI e não na Antiguidade grega ou romana! Para nós a felicidade é uma questão individual e, mais do que uma busca, é uma obrigação.

Só que há algo de estranho também nessa concepção contemporânea. Se a felicidade é uma obrigação, ela não é mais um desejo natural de todo ser humano, pois o que é uma obrigação não é assunto para desejo: é obrigatório! Se nos sentimos quase que compelidos a sermos felizes ou, pelo menos, mostrar-nos que estamos felizes, a felicidade passou a ser um peso. Estamos mais preocupados em mostrar-nos aos outros e a nós mesmos que somos ou estamos felizes do que em procurar viver uma vida realmente feliz. O mais importante é a aparência, o que está na superfície de nossa vida.

Podemos perceber isso em um fato bem corriqueiro de nosso cotidiano. Hoje em dia é quase proibido usar a expressão: "Estou triste". É claro que o "proibido" aqui não significa nenhuma proibição explícita, legal ou moral, mas um tipo de acordo silencioso em que todos participam e evitam usar essa expressão. Quando ouvimos alguém dizer com sinceridade "estou triste", sentimo-nos constrangidos ou incomodados, porque a confissão do estado de tristeza nos lembra algo que queremos esquecer, que preferimos manter escondido nas profundezas de nossa alma. Hoje dizemos "estou deprimido". Tristeza é uma questão existencial, como a felicidade e alegria; enquanto que a depressão é uma questão médica que se resolve com pílulas ou outros tipos de receitas médicas. Questões existenciais têm a ver com a profundidade de nosso ser, de nossa condição humana, enquanto que questões médicas têm a ver com o funcionamento de nosso corpo. Estamos tentando reduzir as questões existenciais, como a tristeza, a um problema de funcionalidade orgânica, em um problema meramente "técnico", superficial.

Se os caminhos apresentados pela nossa cultura também não são satisfatórios, vale a pena voltarmos a olhar com cuidado a sabedoria dos antigos. Como vimos antes, uma boa parte dos filósofos da Antiguidade pensavam que a vida feliz era viver de acordo com sua natureza. Isso significava dizer que a felicidade era inseparável do sentido da vida humana.

O desafio, então, é descobrir em que consiste exatamente a natureza humana e o sentido da vida. Sabemos, porém, que não há consenso sobre esse assunto e, provavelmente, nunca vamos conseguir um. O que nos resta é buscar um sentido de vida que nos ajude a viver com alegria e de modo mais humano. Como diz Humberto Maturana, um cientista chileno, famoso na área da biologia da cognição, "a vida não tem sentido fora de si mesma, [...] o sentido da vida de uma mosca é viver como mosca, 'mosquear', 'ser mosca', [...] o sentido da vida de um cachorro é viver como cachorro, ou seja, 'ser cachorro ao cachorrear', e [...] o sentido da vida de um ser humano é o viver humanamente ao 'ser humano no humanizar'". É claro que essa resposta não resolve a nossa questão, mas ajuda bastante porque nos lembra algo que costumamos esquecer: o sentido da vida humana é se humanizar, realizar a humanidade.

"A vida não tem sentido
fora de si mesma, ...
o sentido da vida de uma
mosca é viver como mosca,
'mosquear', 'ser mosca', ...
o sentido da vida de um cachorro
é viver como cachorro, ou seja,
'ser cachorro ao cachorrear',
e o sentido da vida de um ser humano
é o viver humanamente ao
'ser humano no humanizar'".

(Humberto Maturana)

A noção de humanização nos recorda que não nascemos prontos, acabados e que a humanidade – aquilo que em nós nos faz ser humanos e não outro tipo de ser – é um potencial que precisa desabrochar, ser nutrido, cuidado e desenvolvido. Afinal, sabemos que uma criança não educada, não cuidada, deixada somente aos seus instintos e desejos imediatos torna-se quase um "diabinho". E histórias tristes de crianças muito pequenas, abandonadas no meio da floresta, mostram que elas acabam se parecendo mais com animais que as cuidaram do que com seres humanos.

O sentido da vida humana e o processo de humanização não se resumem na realização de nossos desejos imediatos. Há algo além desses desejos que precisamos nutrir para nos realizarmos e chegarmos a viver uma vida feliz. A felicidade não se reduz à satisfação de nossos desejos imediatos nem a uma vida confortável e prazerosa. Conhecemos pessoas ou sabemos de histórias das pessoas, que vivem vida confortável, com dinheiro suficiente para realizarem seus desejos imediatos de objetos ou pessoas, que lhes proporcionam prazer, e que não são, realmente, felizes. Podemos ser felizes em meio a dificuldades, como também ser infelizes em meio ao bem-estar. Felicidade é algo diferente.

Julian Marías, um filósofo espanhol do século XX, estudioso desses temas, diz que a felicidade tem a ver com aquilo ao que se diz *sim*, aquilo que sentimos como nossa inexorável realidade. Somos felizes, mesmo que a situação em que vivemos seja difícil ou penosa, quando nos reconhecemos em algo, quando dizemos a nós mesmos: "Sim, é isto!"

Quando nos falta essa convicção "sim, é isto!", quando não nos sentimos identificados com o que estamos sendo, com o que estamos fazendo, com o que estamos vivendo, nossa vida parece ser marcada por uma espécie de vazio, que nos incomoda profundamente, mesmo que as condições econômicas e materiais sejam boas. Pesquisas com pessoas que ganharam loterias mostram que, após mais ou menos 60 dias do recebimento do prêmio, a satisfação com sua vida volta ao nível que estava antes da "sorte grande". O conforto aumenta com o dinheiro, mas não a satisfação de viver.

A felicidade tem a ver com a realização de nosso ser, com o viver a vida de uma forma integral e unitária, reconhecendo-se nas mais diversas facetas, relações, funções e papéis sociais, que constituem a totalidade de nossa vida. Por isso, mais do que momentos felizes, a felicidade tem a ver com viver uma vida feliz.

Demos um passo importante em nossa caminhada ou, se preferir, em nosso mergulho em direção às questões mais profundas de nossa existência. Mas há muito ainda pela frente. Para continuar a nossa conversa-reflexão, uma ajuda de outro grande filósofo do passado, Leibniz: "A felicidade é para as pessoas o que a perfeição é para os entes". Isto é, a felicidade é alcançar a plenitude da vida. E a vida aqui não se resume à vida psíquica ou à física ou à econômica. Em nossa sociedade, as pílulas receitadas por psiquiatras são apresentadas e vendidas como "pílulas da felicidade"; a busca do corpo perfeito se tornou obsessão e caminho para felicidade para muitos jovens e também para os não-tão-jovens; e o sucesso econômico se tornou sinônimo de vida feliz. Entretanto, para Leibniz e também para a nossa conversa sobre a felicidade, a plenitude de vida tem a ver com a vida "biográfica", a vida em sua totalidade.

O paralelo que Leibniz estabelece entre a felicidade para as pessoas e a perfeição para os entes nos remete para a pergunta: em que consiste a plenitude da vida? Ou em uma linguagem mais comum, como viver uma vida perfeita? Como ser perfeito?

3
Sejam perfeitos!

Há momentos em que nos sentimos pressionados por uma força interna que não sabemos bem de onde vem nem o que é. Sabemos que não vem de fora, pelo menos não naquele exato momento em que algo dentro de nós nos cobra a perfeição e diz "não está bom!" Não importa o que ou como fazemos, parece que nunca está bom o suficiente.

Algumas vezes, eu me sinto realmente cansado dessa pressão. Parece que ela nunca nos abandona. Quando menos esperamos, ela está de volta nos apontando erros e sussurrando que ainda não atingimos a perfeição, que podíamos ou deveríamos atingir. Pior quando ela se manifesta antes mesmo de fazermos algo, quando apenas estamos pensando em fazer. Como que sentindo um prazer sádico, a voz lá do fundo parece nos dizer: "As pessoas não vão ficar satisfeitas, não vão gostar do que você é ou quer fazer..."; ou então, "rápido, mais rápido, senão não vai conseguir..."

O paradoxal é que essa voz vem do fundo de nós, daquele lugar profundo de que falamos antes, mas parece que não é o "eu", pois me cobra e me pressiona. Porém, como vem de dentro de mim, ela deve ser, pelo menos, uma parte de mim. Não importa agora saber se esta voz é minha, ou é a de alguém que entrou "definitivamente" dentro de mim e assumiu minha voz e se confunde comigo. Mas todos nós que vivemos isso sabemos que há um profundo conflito dentro de cada um de nós. Até parece dois "eus" em conflito: um cobrando uma perfeição impossível, o outro sofrendo com a pressão sem saber como se libertar disso. E nosso corpo sofre, com tensões musculares, dores de cabeça, ansiedades, irritações..., e também sofrem outras pessoas que convivem conosco nesses momentos.

A busca, livre ou pressionada, pela perfeição parece ser algo presente em toda história humana. Mitos religiosos de povos antigos ou as tragédias gregas, por exemplo, falam do perigo de não reconhecer e respeitar os limites que separam os seres humanos, os que não atingem a perfeição, e os seres divinos, os únicos a terem acesso à perfeição. Essa consciência do limite e da separação entre o humano e o divino é uma característica das culturas pré-modernas. O que não quer dizer que naqueles povos não houvesse o desejo ou a pressão pela perfeição. Muito pelo contrário! É exatamente porque havia esse desejo ou pressão pela perfeição que uma das funções dos mitos e das tragédias era a de alertar e "proibir" os humanos de tentar se passar por seres divinos e pretender a perfeição ou a plenitude.

Com a modernidade as coisas mudaram. Agora não somos mais alertados para o limite, mas incitados a superar e até negar a existência de limites e buscar incansavelmente a perfeição. No dia a dia escutamos slogans ou frases, que para os antigos soariam muito estranho e sem sentido: a busca da saúde perfeita, qualidade total (isto é, produção perfeita, sem nenhum defeito), o corpo perfeito, a beleza perfeita, a acumulação ilimitada de riqueza (o objetivo central da economia capitalista) etc.

Alguém poderia dizer que, na verdade, o chamado para a perfeição é um mandamento ou uma recomendação de Jesus: "Sejam perfeitos como é perfeito o Pai de vocês, que está no céu" (Mt 5,48). Portanto, nada mais cristão do que buscar a perfeição. Assim, Jesus estaria confirmando o que disseram os filósofos: para viver uma vida feliz, precisamos buscar a perfeição e plenitude.

Contudo, quem já sentiu essa pressão interna pela perfeição tende a desconfiar dessa ligação direta entre a busca da perfeição e a vida feliz. Há algo de estranho nessa história que precisa ser mais bem esclarecido ou entendido. Vamos com calma e cuidado, porque, nas águas profundas de nossa existência, a pressa pode ser bem traiçoeira.

Uma vez estava caminhando no campus da Universidade Metodista de São Paulo, onde leciono, e escutei uma conversa entre algumas garotas jovens e bonitas, a qual que me chamou muito atenção. Uma delas dizia: "Meu sonho é fazer uma lipoaspiração nesta parte de meu corpo" e usou os dedos na forma de um pegador para apertar com força a lateral da cintura e fazer aparecer um "pneuzinho" que não estava lá. Olhei com mais atenção para o corpo dela e vi espantado que ela tinha o que as pessoas hoje costumam chamar de corpo perfeito: nada fora do lugar, nada em excesso; muito pelo contrário, ela era muito bonita e mais para magra do que para corpo "normal".

Por que a lipoaspiração se tornou um sonho para uma moça tão bonita? Não um simples querer ou desejo comum, mas um sonho? Provavelmente, ela não se sentia bonita suficiente, e uma voz lá do fundo lhe dizia para buscar a tal da beleza perfeita. As mulheres e os homens hoje são bombardeados com mensagens explícitas, implícitas e subliminares para que busquem essa beleza, que no fundo sabemos que é impossível. Sonhamos com perfeição, com a harmonia plena e permanente, protegida dos efeitos do passar dos anos, e com a ausência total de conflitos, problemas e "imperfeições", que sempre nos lembram de nossa condição humana.

Por isso é que as sabedorias mais antigas sempre nos lembram que a beleza perfeita é uma característica dos deuses. Mas as mensagens que recebemos de todos os lugares e em todos os momentos nos dizem que devemos buscá-la sem descanso, usando todos os meios que o mercado nos oferece: cremes, cirurgias plásticas, pílulas, implantes, botox, academias, roupas etc. Estar satisfeita com o que é ou tem seria trair essa mensagem tão presente e forte em nossa sociedade. Mas acho que o problema é mais profundo do que essa corrida angustiante e sem-fim por essa beleza impossível.

O ser humano não busca naturalmente a perfeição, mas sim a felicidade. A busca de perfeição está em função da busca da felicidade. E uma das coisas que nos deixam inseguros nessa busca é a possibilidade de não sermos aceitos por outras pessoas que são importantes para nós. A opinião do grupo, como meu grupo me olha, é muito importante para que eu possa dizer "sim, é isso". A possibilidade de ser rejeitado ou abandonado por alguém que nos é importante, alguém que amamos muito nos amedronta muito. Muitas vezes, abandonamos a busca de uma vida feliz por causa dessa possibilidade assustadora, que nos dá medo e nos faz fecharmos como uma concha em busca de segurança e proteção. Assim, talvez o que aquela estudante estivesse buscando por trás da beleza perfeita era a certeza de que ninguém resistiria à sua beleza, por isso, ninguém a abandonaria e seria amada para sempre.

Se uma moça conseguisse essa beleza perfeita impossível, ela atrairia muitos rapazes, que não poderiam resistir à sua presença, e poderia escolher entre eles um ou mais pretendentes. Só que esses rapazes, que se aproximassem da moça por causa de sua beleza irresistível, não teriam a liberdade de não se interessarem por ela, como também de se afastarem dela. Eles não poderiam amá-la, porque sem liberdade não há amor. Assim, a moça que conseguisse a beleza perfeita não viveria uma vida feliz porque não teria um amor verdadeiro com quem partilhar a vida, as alegrias e tristezas.

Em outras palavras, a pressão pela beleza perfeita – que no dizer da estudante apareceu como o "sonho" de lipoaspiração – é opressiva e desumanizante, pois é uma luta insana por conseguir algo impossível, que, se hipoteticamente fosse alcançada, não a levaria a uma vida feliz.

É claro que essa pressão não recai somente sobre mulheres. Um aluno meu, que na época era relativamente magro, contou--me uma conversa que teve com seu professor de musculação. Movido por essa busca de corpo perfeito, ele começou a fazer musculação em uma academia de ginástica. É claro que o corpo não se altera conforme nossa pressa, e meu aluno já estava ficando meio angustiado com a demora. Procurou seu professor para perguntar sobre o uso de anabolizantes para ajudá-lo a ganhar os músculos desejados. Como um argumento para convencer o professor, e também a ele mesmo, esse aluno disse que seria um uso temporário, só para ajudar no início do processo de ganhar musculatura. Seu professor lhe respondeu o seguinte: as pessoas começam dizendo isso, mas nunca ficam satisfeitas com a musculatura que conseguem e não param de usar anabolizantes em busca sempre de mais músculos, mais definição corporal, de um corpo perfeito que nunca atinge. Ele, com sabedoria, disse que não valia a pena começar a trilhar esse caminho porque seria um caminho sem-fim, até que alguma doença grave o impedisse de continuar.

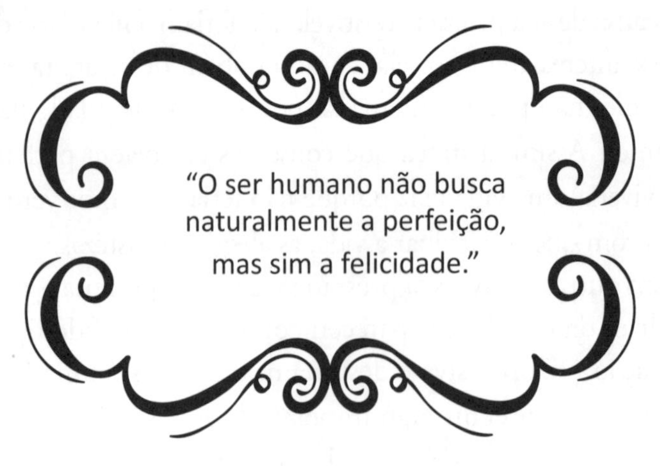
"O ser humano não busca
naturalmente a perfeição,
mas sim a felicidade."

Sorte de meu aluno que encontrou um professor com consciência e sabedoria.

A busca do corpo ou da beleza perfeitos é um dos caminhos mais conhecidos em nossa sociedade para tentar atingir a plenitude, a vida feliz. Mas, vimos que a felicidade não pode consistir nesse sofrimento em busca de uma perfeição que, apesar de estar em nosso horizonte de desejo, nunca está ao nosso alcance! Se a vida feliz é viver ou, pelo menos, caminhar na realização da plenitude de nossa humanidade, isso não pode ser esta pressão infernal pela perfeição. A não ser que haja outro caminho para a ela.

4

Ame o dinheiro e provoque inveja!

Se a busca pelo corpo perfeito não é um bom caminho para uma vida feliz, talvez a alternativa poderia ser uma perfeição ligada à conquista ou aquisição de coisas que são exteriores ao nosso corpo. Afinal, a vida humana não existe sem os bens materiais que existem em nosso ambiente natural e social. Se não podemos garantir uma vida feliz com a busca de uma beleza perfeita e se não podemos controlar o envelhecimento, que marca nossa condição humana e nosso corpo, talvez o controle e a posse de bens necessários para uma boa vida social e econômica fossem um bom caminho. Afinal, todos nós sabemos que a escassez de bens materiais torna a vida muito mais difícil. Se a escassez é a fonte de sofrimento, talvez a abundância fosse a garantia de uma vida boa e a posse ilimitada de bens materiais – a riqueza perfeita –, a garantia de uma vida feliz.

Antes de continuar, precisamos reconhecer que não é muito comum falarmos seriamente da relação entre os bens materiais e a felicidade. Até o ditado que diz: "Dinheiro não traz a felicidade, manda buscar/comprar" é normalmente dito em tom jocoso. Esse tom revela a dificuldade que temos com esse assunto. Talvez a causa disso esteja na relação entre a vida espiritual e a vida feliz.

Em grego, há duas palavras – ou duas famílias de palavras – para se referir à felicidade. A primeira é *eudaimonia* e significa ter sorte, prosperidade, que costuma ser traduzida normalmente para o latim como *felicitas*, por *felicidade* em português e *happiness* em inglês. A segunda é *makarios*, que tem uma conotação mais religiosa, com um elemento de dom, e costuma ser traduzida para latim como *beatitudo*, *bem-aventurado* em português e *blessed* em inglês. A noção de *eudaimonia*, *felicidade*, tem – especialmente no pensamento de Platão – uma noção mais trivial, enquanto na noção de *makarios* encontramos mais a ideia de que a felicidade não depende só do homem e tem uma relação com a vida religiosa ou espiritual. As famosas "bem-aventuranças" ditas por Jesus no Sermão da Montanha, por exemplo, usam o termo *makarios* e não *eudaimonia*.

Em nossa cultura, há certo equívoco com respeito à vida espiritual. Tem muita gente que pensa que a espiritualidade é uma questão que diz respeito somente a "realidades espirituais", isto é, a realidades não materiais. Portanto, uma pessoa espiritual seria alguém que tem conhecimento sobre assuntos que transcendem nosso mundo material ou que não se preocupa com as coisas materiais e se dedicam exclusivamente aos assuntos espirituais. Porém, a espiritualidade tem a ver com a vida concreta das pessoas. Se não tivesse, ela não teria utilidade para nós humanos, mas só para seres não materiais (se é que estes existem). Nós humanos somos seres corporais, por isso uma espiritualidade que nos possa ajudar a viver uma vida feliz tem que ter relação com questões corporais e materiais.

A oração do "Pai-Nosso", por exemplo, começa se dirigindo ao "Pai nosso, que estás no céu", mas no início da segunda parte diz: "O pão nosso de cada dia nos dai hoje". Provavelmente essa oração foi ensinada em primeiro lugar para as pessoas que não tinham o que comer no dia a dia. Uma pessoa muito rica, provavelmente, não colocaria o tema do "pão de cada dia" na oração e, se o fizesse, estaria pedindo o pão do próximo ano, já que os dos próximos dias e meses deveriam estar garantidos. Para pessoas muito pobres, a falta do pão de cada dia e da perspectiva de dias melhores é empecilho muito sério para uma vida feliz.

Isso não quer dizer que as questões materiais só sejam importantes para a espiritualidade e felicidade das pessoas pobres. A produção e a acumulação de riquezas, em grande parte, não têm a ver com a satisfação das necessidades básicas para a sobrevivência. Resolvido o problema da sobrevivência imediata, a riqueza se torna uma prova do grau honorífico de sucesso, de realização heroica ou notável do proprietário. As pessoas passam a ser estimadas socialmente de acordo com sua riqueza. Mais do que isso, esta passou a ser uma coisa intrinsecamente honrosa, que confere honra ao seu possuidor. Como dizia Shakespeare, o ouro faz um homem feio se tornar bonito, ou então transforma um "desgraçado" (que perdeu a graça de Deus) em uma pessoa abençoada e nobre.

Com o surgimento e consolidação da sociedade capitalista, a ligação entre a vida espiritual e o desprendimento de bens materiais foi sendo questionada e transformada. Na tradição budista, por exemplo, o apego aos bens materiais é considerado uma das principais causas do sofrimento humano. Por isso, o caminho espiritual para a iluminação no budismo passa pelo desapego dos bens materiais. Na tradição cristã temos uma frase de São Paulo que é pouco citada ou lembrada nos dias de hoje: "A raiz de todo mal é o amor ao dinheiro" (1Tm 6,9-10). O interessante ou paradoxal é que a civilização ocidental, que se autodenomina cristã, inverteu o ensinamento de São Paulo e fez do amor ao dinheiro a base de todas as virtudes na sociedade. Assim, por exemplo, um dos sete pecados capitais, o vício da avareza, foi invertido para a virtude – individual e social – da poupança ou acumulação. Com a globalização, essa nova "cultura espiritual" está sendo anunciada e difundida por todas as partes do mundo, até mesmo nos países antes marcados profundamente pela tradição e valores budistas.

Assim, para muitos hoje o caminho da felicidade passa fundamentalmente pelo aumento da capacidade de consumo, pela acumulação de riquezas e ostentação de bens de consumo. Por que a ostentação? Podemos compreender que a acumulação de bens econômicos nos garante um futuro confortável e parece ser um bom caminho para uma vida feliz. Mas qual a razão da ostentação? Como vimos antes, passado o nível da sobrevivência, o mais importante na riqueza é sua capacidade de conferir honra, prestígio, "ser" a seu possuidor. A garantia de um futuro confortável vem em segundo lugar. Isso porque o sentimento de "ser", que todos nós buscamos, vem, no primeiro momento, do reconhecimento que outras pessoas me dão. Se sou reconhecido como uma pessoa importante, eu me sinto bem e percebo que possuo o "ser" que procuro. Por isso, eu preciso conseguir os objetos ou qualidades que fazem outras pessoas me darem esse reconhecimento. E a riqueza ou o consumo de mercadorias desejadas por muita gente é uma delas, especialmente em nossa sociedade. Mas, um objeto de desejo escondido não proporciona esse reconhecimento buscado, por isso é preciso ostentá-lo.

Danuza Leão sintetizou bem essa questão em uma de suas crônicas:

> Tem graça jantar com Madonna e ninguém saber? Claro que não. Aliás, de que adianta ter todas as glórias da vida – não que jantar com Madonna seja uma delas, apenas um exemplo –, se as amigas não vão saber e se esse acontecimento não chegar aos ouvidos das inimigas, sobretudo? [...] qual o interesse em desfilar usando joias, ter uma BMW ou aparecer na televisão? Para que vejam e comentem, com admiração ou inveja; e também – por que não dizer? – para dar raiva nos outros. [...]. Viver dá trabalho, e é uma pena pensar em como são poucas as coisas feitas apenas para nosso prazer pessoal, sem precisar de plateia para aplaudir ou cobiçar.

Provocar a admiração e inveja, nos amigos e nas amigas e especialmente nos inimigos, é a principal razão de tanta correria por consumo e ostentação. Para que outras pessoas me admirem e me invejem, eu preciso possuir e ostentar objetos que essas outras pessoas valorizam e desejam. Pois, se eu consigo realizar um desejo meu que não é desejado por mais ninguém, eu não serei admirado e muito menos invejado por outras pessoas. E sem essa admiração e inveja, sinais exteriores do reconhecimento, eu não me sentirei possuindo o "ser" que desejo. Por isso, o segredo nessa lógica é desejar o que outras pessoas desejam, especialmente as pessoas mais famosas e conhecidas, as que os meios de comunicação apresentam como modelos de seres humanos. É preciso aprender a desejar o que outro deseja e lutar para obter o objeto desejado, por outra pessoa, para assim satisfazer meu desejo de ser admirado por outras pessoas e me sentir com o "ser", e poder dizer "sim, é isso".

O problema é que o desejo realizado não é meu desejo, mas de outra pessoa ou de outras pessoas. Mas, se essas outras pessoas vivem também essa mesma lógica, elas também não desejam o que desejam, mas o que pensam que outras pessoas desejam. Assim caímos em um jogo de espelho insano e enganoso: todos olham para outros, tentando imaginar o que esses desejam, e, a partir disso, tentam realizar esse desejo, aparecendo como se eu estivesse lutando por algo que realmente desejo. É uma correria sem-fim e sem sucesso, pois estou lutando pelos desejos de outras pessoas que sempre estão mudando de desejos. Na verdade, nessa ciranda maluca de desejo, quem dirige o show são os meios de comunicação, especialmente o pessoal de marketing e propaganda, que nos incita a desejarmos e consumirmos mercadorias, símbolos e valores que mudam a toda hora. Moral da história? Muito do que desejamos, na verdade, não são nossos desejos, mas desejos alheios, introjetados no fundo de nossa alma, cobrando-nos sem cessar e gerando em nós ansiedade e frustração.

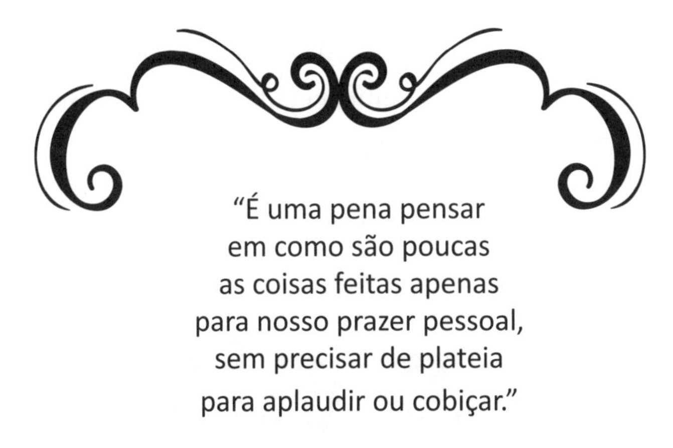

"É uma pena pensar
em como são poucas
as coisas feitas apenas
para nosso prazer pessoal,
sem precisar de plateia
para aplaudir ou cobiçar."

Danusa Leão

Aristóteles já dizia há mais de dois mil anos: "escolher a vida de outro, o desejo de outro, em vez de sua mesma ou de seu mesmo, é introduzir uma falsidade que destrói o próprio sentido da felicidade desejada". Isso parece ser bastante verdadeiro. De certa forma, essa ideia aparece também na crônica da Danuza Leão: "E é uma pena pensar em como são poucas as coisas feitas apenas para nosso prazer pessoal, sem precisar de plateia para aplaudir ou cobiçar". A expressão "é uma pena" mostra que ela percebe que o melhor caminho para a vida feliz não é o de viver em função da admiração e inveja alheia, em função do aplauso ou da cobiça (desejo intenso pelo que o outro tem) das outras pessoas, mas em função do desejo pessoal, do que ela chama de "prazer pessoal". E "é uma pena" nos mostra também que o caminho pessoal não é um caminho fácil. A natureza nos fez desejar a felicidade, mas parece que ela não facilitou as coisas para nós.

5
Tudo sob controle?

Antigamente, as pessoas acreditavam que sua vida já estava traçada pelo destino ou pela vontade divina. O segredo para a felicidade, ou melhor, para uma vida sábia e tranquila, então, consistia em descobrir esse caminho e se adequar a ele, descobrindo assim seu lugar na dinâmica do universo ou da vontade dos deuses. Para nós isso pode parecer estranho ou soar como falta de liberdade, que seria causada por uma visão supersticiosa ou equivocada da vida. Mas, isso dava uma grande segurança para a maioria das pessoas. Saber que o futuro já está escrito, determinado, livra-nos do mal-estar da insegurança e nos dá a tranquilidade e confiança para vivermos nossa vida. Mesmo que a vida seja difícil, saber que há um Deus que o estabeleceu desta forma dá mais consolo e conforto para vivê-la. E devemos lembrar que, mesmo nos dias de hoje, muitas pessoas pensam que a tranquilidade e a segurança são características fundamentais para uma vida feliz.

É claro que sempre existiram pessoas que não aceitaram o que diziam ser seu destino e lutaram para uma vida mais livre, mas sempre foram minorias e mal vistas pela maioria, especialmente, pelos governantes da época.

No mundo moderno de hoje, muitas pessoas pensam que as ideias do destino ou de um Deus onipotente, determinando os rumos e os acontecimentos de nosso dia a dia, não fazem menor sentido. Pode ser, mas isso não quer dizer que elas tenham perdido seu charme. A ideia da vida sob controle do destino ou de uma outra força continua sobrevivendo em muitos lugares e não somente nos espaços religiosos mais conservadores.

Vocês se lembram de uma música de sucesso da Tetê Espíndola, "Escritos nas estrelas?" Essa música, composta por Carlos Rennó e Arnaldo Black, dizia: "Você pra mim foi o sol, de uma noite sem-fim..."

É óbvio que ninguém acreditou literalmente nessa história de um amor já escrito nas estrelas, mas que ela é bonita e sedutora não podemos negar. Saber, acreditar ou desejar que o amor que você encontrou e lhe faz tão feliz é um amor que já estava escrito nas estrelas e que seu destino era viver esse amor, destino esse que podia ser lido nas cartas como nas estrelas, é muito bom! Isso nos dá segurança de que esse amor irá durar e não decepcionar. Afinal, o maior medo que sentimos, quando amamos, é o da possibilidade de sermos abandonados pela pessoa amada e de sairmos muito machucados do amor. E a ferida do amor dói, leva muito mais tempo que feridas corporais para cicatrizar; e a cicatriz permanece mesmo após a dor.

Essa música não descreve o que pensamos de fato, mas expressa o que desejamos. Por isso fez tanto sucesso e mexeu com o coração de tanta gente. Além da bela interpretação da Tetê, a música em si toca no fundo de nosso coração, de nosso desejo.

Desejamos viver uma vida sob controle, sem tantos sobressaltos e tanta insegurança. Queremos amar sem medo de sermos incompreendidos ou abandonados pela pessoa amada. Sofremos quando pensamos na possibilidade de que algum mal ou infortúnio atinja as pessoas que amamos; isso acontece porque a dor da pessoa amada é também a nossa dor. A insegurança, uma das principais causas do e*stresse* nos dias de hoje, incomoda-nos profundamente, por isso passamos a associar a vida feliz com a segurança proporcionada pelo controle sobre nossa vida.

Isso nos ajuda a entender por que a busca, ou até mesmo a obsessão pelo controle, é uma das características de nossa cultura moderna e uma das formas, meio inconsciente, de buscar a vida feliz. Alguns buscam uma vida feliz por meio da beleza perfeita, outros pela riqueza e ostentação do consumo, outros por uma vida perfeitamente sob controle e a maioria em uma combinação desses três caminhos.

Antigamente, o meio mais usado para ter a sensação de uma vida sob controle era a religião em suas mais diversas formas. As pessoas faziam seus ritos, suas rezas meio mágicas e oferendas aos deuses e espíritos para manter a sensação de segurança e proteção. Hoje, a maioria das pessoas prefere o caminho da economia e das ciências. Como dissemos antes, vivemos em um outro tempo.

Deixe-me dar um pequeno exemplo para ver como a lógica econômica assumiu o lugar predominante em nossa tentativa de manter a vida e nossas relações com as pessoas que nos cercam sob o controle.

Foi em dezembro de 1963 ou 1964 que vi, pela primeira vez, um cartão de natal. Foi um inverno rigoroso, cheio de neve e muito frio. Eu me lembro de que em uma manhã desse mês fui à escola com o termômetro batendo nos dezessete graus abaixo do zero. Sinto calafrios só em lembrar meus pés gelados naquele país ainda muito pobre. Naqueles anos, estava começando o costume de enviar cartões de natal para amigos e familiares, um dos primeiros sinais da influência da cultura ocidental chegando à Coreia. O cartão que recebi era feito manualmente e tinha colado nele algodão para formar a figura de um boneco de neve. Para os mais próximos, cartões feitos com afeto, criatividade e tempo. Para as pessoas mais distantes, cartões comprados. Hoje esse costume de fazer o cartão quase desapareceu completamente. Também na Coreia, as pessoas simplesmente compram cartões caros ou presentes caros para mostrar o afeto especial. E isso não é somente resultado da correria e da falta de tempo, mas de uma profunda transformação cultural.

Quando você recebe ou dá um cartão ou um presente feito pessoalmente é difícil classificar, medir o "valor" afetivo embutido nesse objeto material. Você não sabe quão querido ou querida você é ou você não sabe se a pessoa que recebeu seu presente vai ser capaz de "quantificar" corretamente o afeto que você sente por ela. Por isso, é mais seguro usarmos uma linguagem ou um meio oferecido pela atual sociedade que é muito mais claro e menos sujeito a interpretações equivocadas: o valor econômico do presente. Quanto mais caro, mais "prova" do afeto. E o valor do presente revelaria quão "honrado", "abençoado" e, portanto, feliz é a pessoa que dá e como a pessoa que recebe deve valorizar o gesto e se sentir também feliz.

Assim, muitos de nós trabalhamos muito para poder comprar brinquedos e presentes caros para nossos filhos ou pessoas amadas. Mas, exatamente porque trabalhamos muito não temos tempo para brincar com as crianças ou "jogar conversa fora" com as pessoas que amamos. Pensamos que os presentes caros são melhores provas de nosso amor do que nossa presença ou que eles podem ser bons compensadores de nossa ausência, física ou emocional. Mas, no fundo, sabemos que não é bem assim.

A busca de uma vida segura, sob controle, remete-nos também para a questão do futuro. E, mais uma vez, entra em cena o dinheiro, de preferência muito dinheiro. Muitos de nós pensamos que, se tivermos uma boa poupança ou um ótimo investimento acumulado, podemos viver descansados em relação ao futuro. Afinal, um bom "pé de meia", como se dizia antigamente, é a garantia de uma vida tranquila no futuro, com acesso aos bons hospitais – com suas tecnologias de ponta e últimas descobertas científicas – e ótimos advogados, se necessários forem, para ter tudo sob o controle. Essa ideia é tão difundida entre nós que uma empresa de cartão de crédito a utilizou em uma de suas campanhas: "Promoção Pé de Meia garante o futuro do consumidor durante dez anos". É claro que o futuro garantido, nas letras miudinhas do texto, refere-se a certo valor mensal que os sorteadores receberão por dez anos. Mas a ideia que está se vendendo é a de que o "pé de meia" prometido pela companhia irá garantir o futuro do sortudo, isto é, uma vida feliz.

Essa ilusão ou desejo de que a riqueza "blinda" nosso futuro contra todos os infortúnios ou sofrimentos é uma das grandes tentações de querermos ser como Deus; de querermos ultrapassar a insegurança de nossa condição humana e chegar à perfeição divina. É a tentação e o desejo de vivermos uma vida totalmente segura, isenta de sobressaltos, tristezas, mal-entendidos e surpresas da vida. O que significa também uma vida sem alegria, sem criatividade, sem a experiência gratificante da reconciliação com as pessoas que amamos e sem boas surpresas.

Falar dessas coisas me fez lembrar de uma parábola muito estranha que está no evangelho de Lucas (12, 16-21). Jesus conta a parábola de um fazendeiro que teve uma ótima colheita e, por isso, destruiu velhos celeiros para construir novos e maiores. Até aqui tudo bem. O problema começa com o que esse fazendeiro pensa: "Então poderei dizer a mim mesmo: meu caro, você possui um bom estoque, uma reserva para muitos anos; descanse, coma e beba, alegre-te." Na verdade, o que o fazendeiro pensa é bastante normal. Uma grande riqueza acumulada permite a pessoa descansar e viver com alegria. Ou não? Parece que Jesus discorda. Ele continua a parábola com uma informação cruel: "Mas Deus lhe disse: 'Insensato!

Nesta mesma noite você vai ter de devolver sua vida. E as coisas que você preparou para quem vão ficar?"

Meu problema é com a reação de Deus nessa parábola. Por que ele matou, ou melhor, retomou a vida do fazendeiro? Só porque ele ficou mais rico? Uma leitura mais apressada poderia levar à conclusão de que Deus é contra os ricos que acumulam e não se preocupam com a vida dos pobres. Mesmo que isso fosse verdade, precisava matar? Não poderia simplesmente lhe enviar uma praga para dar uma lição e pedir-lhe ou ordenar-lhe que repartisse seus bens com os pobres? Jesus contou outras parábolas nesse sentido sem chegar a um final da história tão chocante.

Penso que a parábola de Jesus vai além dessa mera questão de distribuição de riqueza. Não que esse tema não seja importante na vida e nas práticas de Jesus. Afinal, não nos esqueçamos de que no coração da oração de "Pai-nosso", ensinado por Jesus, está o pedido de "pão nosso de cada dia nos dai hoje". Mas acho que nessa parábola há algo a mais que pode nos ajudar na reflexão sobre a vida feliz.

O rico fazendeiro diz a si mesmo: "Descanse!" A palavra descansar nos lembra imediatamente o trabalhar. Será que é do trabalho árduo que ele vai descansar? Provavelmente não, pois os trabalhos duros não são feitos por fazendeiros ricos, mas por camponeses ou trabalhadores contratados. Uma das vantagens da riqueza é exatamente essa de não precisar fazer os trabalhos duros e sujos. Se a questão não é descansar do trabalho duro, ele deve estar falando de descansar das preocupações com o futuro. Por isso, a frase que antecede o "descanse" diz: "Meu caro, você possui um bom estoque, uma reserva para muitos anos". Ele confia que sua riqueza acumulada vai lhe garantir o futuro, dar-lhe o controle do futuro, por isso pensa que pode descansar em relação às preocupações e questões fundamentais da vida.

Dessa forma, ele transforma todas as questões importantes da vida em uma simples equação econômica: tenho ou não dinheiro suficiente para comprar? Se ele tiver muito dinheiro, pode dizer a si próprio: "descanse, pois nada está fora de seu controle; você se tornou autossuficiente, imune ao acaso ou infortúnio". O que Jesus critica é essa ilusão de autossuficiência, baseada na acumulação da riqueza, de a riqueza poder controlar a vida e o futuro. Em um tempo em que todos acreditavam na existência de Deus, o fazendeiro rico pensa que não precisa de ninguém, nem das outras pessoas nem de Deus, para ter uma vida alegre e feliz. É a ilusão de quase todos os ricos e poderosos da história.

Além disso, como vimos antes, a riqueza não pode comprar ou garantir a alegria de viver. Um rico pode, com seu dinheiro, comprar ou conseguir objetos de desejo que lhe proporcionem prazer e festa, mas não a alegria, pois essa não é igual a prazer. Não se pode viver uma vida alegre e feliz, sem pessoas amadas, e toda a insegurança que o amor traz. O erro de reduzir a felicidade à riqueza decorre da ilusão de que com muita riqueza pode-se controlar a vida e o futuro.

Por isso Jesus apresenta, nessa parábola, uma imagem de Deus, que nos assusta ou surpreende. Na mesma noite, Deus lhe tira a vida para mostrar que o futuro não pertence a ninguém e muito menos pode ser controlado pela riqueza. É um ensinamento sobre a condição humana e sobre a impossibilidade de controlar a vida e o futuro pela ação humana. A vida é cheia de surpresas e imprevistos, bons e maus. Não há como eliminar ou controlar os acasos que fazem parte tanto da evolução das espécies quanto da vida humana. É essa imprevisibilidade que faz a aventura de viver difícil e, ao mesmo tempo, humanizante.

E Deus o chama de insensato, porque esse rico crê que a vida feliz se alcança pelos "bens estocados" e não sabe que a alegria de viver requer um sentido de vida que não se fecha na pretensão da autossuficiência. Ninguém pode ser feliz ou viver alegremente sem compartilhar sua vida – alegrias e tristezas, planos e surpresas, preocupações e cuidados – com pessoas que amam. Não há tristeza maior do que você conseguir realizar ou atingir um grande objetivo em sua vida e não ter nenhum amigo de verdade para celebrar junto; assim como não há solidão maior do que aquela que sentimos quando estamos muito tristes ou preocupados e não temos um amigo ou uma amiga com quem chorar e compartilhar esse momento.

A imagem de Deus, pintada nessa parábola, pode ser um pouco cruel demais para nossa sensibilidade moderna, mas a lição é imprescindível. Muitos de nós, em diversos momentos de nossa vida, temos sido insensatos. Sorte que a vida, para nós, não seguiu o ritmo apressado e imediato da pequena parábola contada por Jesus.

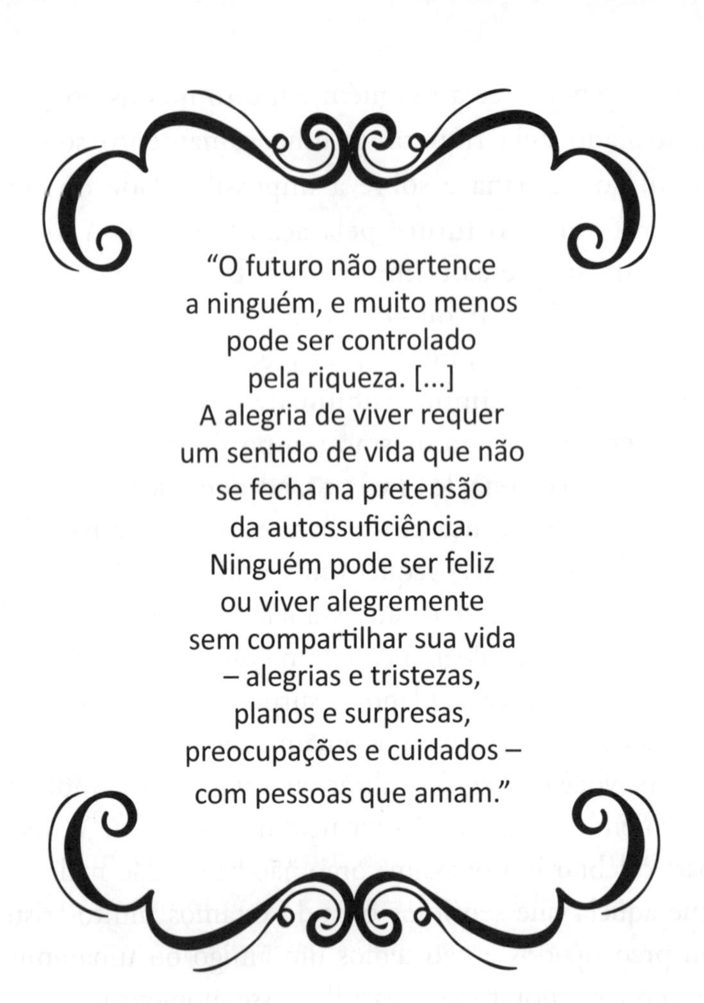

"O futuro não pertence
a ninguém, e muito menos
pode ser controlado
pela riqueza. [...]
A alegria de viver requer
um sentido de vida que não
se fecha na pretensão
da autossuficiência.
Ninguém pode ser feliz
ou viver alegremente
sem compartilhar sua vida
– alegrias e tristezas,
planos e surpresas,
preocupações e cuidados –
com pessoas que amam."

6
O amor e a perfeição

Percorremos diversos caminhos na busca dos segredos de uma vida feliz. Em primeiro lugar, percorremos o caminho da perfeição de nosso corpo, na luta por uma beleza perfeita, e não encontramos. Depois fomos na direção do mundo exterior, em busca das riquezas e ostentações de objetos de desejo, capazes de angariar admiração e inveja das outras pessoas, e experimentamos o vazio e a ansiedade. Fomos então conhecer o caminho de uma vida totalmente sob controle e também nos frustramos. Se não encontramos esses segredos no âmbito de nosso corpo nem fora dele, talvez eles estejam em nosso interior, no caminho da perfeição interior.

Santo Agostinho, uma pessoa que marcou profundamente a cultura ocidental com suas reflexões, também se perguntou sobre como e onde encontrar a felicidade. Mas, para responder a essa pergunta, é preciso antes saber o que, realmente, buscamos quando desejamos a felicidade. Após uma vida cheia de idas e vindas, de procuras, frustrações e encontros, ele diz, em seu livro *Confissões*: "Quando te procuro, ó meu Deus, procuro a felicidade da vida". Para ele a fonte da felicidade é Deus, cujo nome damos à verdadeira fonte da felicidade da vida.

"Quando te procuro,
ó meu Deus, procuro
a felicidade da vida."
(Santo Agostinho)

Para Agostinho, Deus e a felicidade não estão no corpo nem fora do corpo, mas em nosso interior: "Eu te buscava fora de mim, e não encontrava o Deus de meu coração"; "Tu estavas mais dentro de mim do que minha parte mais íntima. E eras superior a tudo o que eu tinha de mais elevado". E a alegria de encontrar a felicidade "não é concedida aos ímpios", mas àqueles que servem a

Deus por puro amor. Por isso, afirma categoricamente: "Esta é a felicidade: alegrar-nos em ti, de ti e por ti. É esta a felicidade e não outra. Quem acredita que exista outra felicidade persegue uma alegria que não é a verdadeira".

Essa é uma imagem muito bonita de Deus: a fonte da felicidade! E essa fonte não se encontra nos templos ou nas grandes obras humanas, nem nos sacrifícios e nos sofrimentos, mas no mais íntimo de nós mesmos quando vivemos a alegria do encontro com o amor. O caminho que Agostinho propõe para encontrarmos a felicidade é o caminho da vida interior, da perfeição interior. Essa associação da felicidade com a vida interior está presente em muitas tradições filosóficas e espirituais, sejam do Ocidente ou do Oriente.

Dalai Lama, em seu livro *Uma ética para o novo milênio*, associa a felicidade com a paz interior: "Segundo minha experiência, a principal característica da felicidade genuína é a paz interior. O fato de a paz interior ser a principal característica da felicidade explica o paradoxo de existir gente que está sempre insatisfeita, apesar de dispor de todas as vantagens materiais, enquanto há outros que estão sempre felizes, a despeito das circunstâncias mais penosas".

Se a felicidade consiste na paz interior, como encontrar essa paz? Segundo Dalai Lama, "não há uma resposta única. Mas uma coisa é certa: nenhum fator externo pode produzi-la".

O problema que se nos apresenta agora é saber em que consiste mais concretamente esse caminho interior que pode nos levar à felicidade de alegrar-se em Deus (S. Agostinho) ou à paz interior (Dalai Lama). Não basta dizer que o caminho para a felicidade está em nosso interior e não na busca do corpo perfeito ou do consumo sem-fim da perfeição, pois a força que nos pressiona opressivamente para atingirmos a perfeição, da qual falamos no capítulo três, vem exatamente de dentro de nós.

Parece que em nosso interior não há um só caminho, mas vários. E se assim for, pode ser que um deles nos leve, ao invés da paz e alegria, à ansiedade, frustração e opressão interna.

Quando falamos do caminho de vida interior, vem a minha memória uma das ideias mais características e profundas de nossa cultura: a busca da perfeição moral e espiritual como caminho de uma vida feliz. Alguns grupos enfatizam mais a dimensão moral, uma vida moral imaculada e perfeita, outros a religiosa, entendida como uma vida de cumprimento perfeito das leis e dos preceitos religiosos, como se a chave para uma vida feliz estivesse no cumprimento das leis religiosas, morais ou sociais.

Aqui aparece, com mais clareza e força, o mandamento ou a recomendação de Jesus: "Sejam perfeitos como é perfeito o Pai de vocês, que está no céu" (Mt 5,48). Sejam perfeitos! As cobranças dos pais e da sociedade aparecem agora revestidas de um caráter sagrado e nos vigiam desde o lugar mais profundo de nosso ser. As presenças visíveis dos pais ou das outras autoridades não são mais necessárias, a pressão já está instalada em algum lugar secreto dentro de nós. Podemos renegar a autoridade dos pais e da sociedade e, até mesmo, negar o próprio Deus e a religião, na qual fomos criados, mas continuam lá esta vigilância e cobrança sobre qualquer erro, falha ou incorreção que podemos cometer. Feliz aquele que já se libertou disso!

Quando não sabemos como nos libertar dessa opressão interna, uma solução é agregar essa força opressiva ao nosso ser e seguirmos seus "conselhos" na busca da perfeição moral, espiritual e pessoal. É isso que muitos de nós fazemos: assumimos esse "feitor" como se fosse uma faceta de meu "eu interior". Mas na verdade é um agregado que não faz parte da essência de meu ser. Por isso, ser "bom" nessa relação – porque ser perfeito diante de tanta pressão é impossível – não significa sermos felizes. Afinal, ser bom ou se aproximar da perfeição, nessa lógica, é estar, cada vez mais, distante da realização de meu ser e da alegria de encontrar a felicidade, que parece estar no mais profundo de minha intimidade, na realização de minha "essência" humana, na paz interior.

Quem já frequentou ou ainda frequenta ambientes religiosos mais "rígidos" pode ter uma boa ideia do que estou dizendo. Mas esse "privilégio" não é só do campo religioso e está presente em muitos ambientes familiares, militares, e cada vez mais forte nas empresas.

Para entendermos como essa busca ou exigência da perfeição pessoal saiu do campo religioso para outras áreas da vida, especialmente para o econômico, precisamos nos lembrar de que após a Reforma Protestante, no século XVI, surgiu no Ocidente um tipo de perfeição moral-espiritual que não era conhecida antes: a perfeição pelo trabalho. A partir da Reforma, espalhou-se pelos países capitalistas a ideia de que o modo mais perfeito de "servir a Deus", de realizar a vocação, que Ele nos deu, é trabalhar com afinco e dedicação, buscando realizar o trabalho perfeito. É como se a meta da "Qualidade Total", do "defeito zero" fosse aplicada a todos os aspectos e momentos da vida.

As igrejas protestantes, que surgiram a partir da Reforma, modificaram-se, e as sociedades se tornaram mais secularizadas, mas essa ideia ainda permanece no fundo de nossa cultura. Por isso, mesmo as pessoas que não acreditam mais nas recompensas, nos castigos eternos ou em Deus continuam sentindo essa pressão para sempre estarem trabalhando, produzindo, correndo em direção a algo que não sabem bem o que é. É claro que, quando perguntados, encontrarão alguma resposta, mas, se olharem honestamente para dentro de si, muitos terão dificuldade em encontrar a razão para tanta correria. Corremos tanto que quase não temos mais tempo para "viver". E isso em nome da busca de uma vida feliz. Parece que uma nova "lei de Deus" foi inscrita dentro de cada um de nós, que vivemos na cultura capitalista: "Produza sem-fim, sem descanso, sem tempo para sentir o prazer do ato de criar ou do resultado conseguido, pois produzir é sua vocação e seu dever. Nisso consiste em 'servir-me' e em encontrar sua 'paz interior', pois correndo sem parar não terá tempo para tomar contato com seus conflitos internos".

Essa correria não é só entre os adultos. Fico espantado com horas gastas por adolescentes e jovens jogando videogames ou jogos de computador. Não porque sejam jogos eletrônicos, mas por causa da obsessão deles de conseguir pontos e mais pontos. É uma busca sem-fim por mais pontos, ou pela produção de mais pontos. Quando se bate um recorde, não há tempo para usufruir dessa alegria, pois o novo recorde não é nada mais do que um novo número a ser ultrapassado. Em direção a quê? A uma "vitória perfeita"?

O caminho da vida interior ou da perfeição pessoal parece ser muito interessante, mas também estressante e cheio de contradições. Onde está o erro? Como diz Dalai Lama, não há uma só resposta para assuntos tão complexos e importantes. Quero introduzir aqui uma reflexão que parece ser central. Há um pressuposto comum em todas as variantes da busca da perfeição pessoal que vimos: a felicidade se encontra no cumprimento da lei, que vem de fora, e parece se instalar dentro de nós. Não importa se essa lei vem de Deus, dos pais, da sociedade, do mercado, da moda, das regras do jogo etc., é preciso cumpri-la. Se não a cumprimos perfeitamente, nós nos consideramos ou somos considerados relapsos, incompetentes, imorais, fracassados, ultrapassados, démodé etc. Parece que a nossa felicidade e a nossa paz interior dependem da submissão e do cumprimento dessas exigências.

Só que a tentativa de ser feliz, buscando atender todas as exigências dessas leis, não nos proporciona a paz interior, pois elas existem para nos vigiar e nos punir. Sob a vigilância da lei, não encontramos a paz nem a alegria, somente a pressão, o medo, a ansiedade, a tensão e outras coisas assim que pouco têm a ver com uma vida feliz.

Uma primeira reação contra toda essa pressão poderia ser ir para o outro extremo e querer uma vida de "total liberdade", sem nenhuma pressão ou repressão, sem levar em consideração nenhum tipo de normas morais, sociais, profissionais ou, até mesmo, parâmetros da moda. Porém, não é possível vivermos dessa forma em uma sociedade; se insistirmos nesse caminho, ficaremos tão isolados de outras pessoas e da sociedade que também não poderemos ser felizes. A não ser que criássemos um grupo para viver completamente isolado do mundo. Mas, provavelmente, esse grupo também criaria algumas regras internas para seu funcionamento. Além disso, se formos contra todos os tipos de leis, normas ou referências, poderemos sentir-nos livres no primeiro momento, mas logo depois sentiríamos perdidos. Afinal, sem nenhuma referência mais estável, nós perdemos o sentido da vida e não conseguimos mais encontrar sentido e valor mesmo nas coisas do cotidiano.

As leis nos reprimem, mas como viver sem elas? Como sair desse labirinto?

A ideia de um labirinto me trouxe à mente um texto também meio "labiríntico" da segunda carta de São João (5-6), que na verdade não passa de um pequeno bilhete. Ele escreve: "E agora lhe peço, (...), não como se estivesse escrevendo para você um novo mandamento, mas o mesmo que temos desde o princípio: amemo-nos uns aos outros. O amor consiste nisso: em viver conforme os mandamentos dele. E o primeiro mandamento, como aprenderam desde o princípio, é que vocês vivam no amor".

Há uma circularidade nesse ensinamento. Ele lembra à comunidade o mandamento que vem desde o princípio: amemo-nos uns aos outros. Mas em que consiste amar? O amor consiste em viver conforme os mandamentos de Deus; e esse mandamento é que vivamos no amor. O mandamento nos remete ao amor, o amor nos remete ao mandamento, que novamente indica o amor. Parece um labirinto sem saída. Mas, há algo a mais neste texto.

A lógica das leis e dos mandamentos diz que uma lei deve ser cumprida por todos, em todas as circunstâncias, sem privilégios ou favores especiais para ninguém. Por isso é que o símbolo da justiça em nossa cultura é uma senhora de olhos vendados, segurando uma balança que mede a relação entre a ação e a lei. Deve haver uma relação "fria" entre o juiz e as partes envolvidas, uma relação não baseada na paixão ou no afeto.

Por outro lado, as relações de amor são carregadas de paixão, emoção e até de desrespeito à lei! Temos uma prova do amor ou da amizade verdadeira quando alguém corre risco de ir contra a lei para nos ajudar. O ambiente do amor é do "jeitinho", do contornar, se preciso for, as leis ou normas da civilidade para poder viver o amor na liberdade, para ver a felicidade da pessoa amada.

Entretanto, nós também sabemos que muitos usam as palavras amor e liberdade como desculpas para impor seus desejos e interesses sobre outras pessoas ou para viver uma vida sem nenhuma restrição. O problema é que uma vida sem nenhum limite é uma vida sem sentido, pois, para que haja um sentido, é preciso ter uma direção à frente e que os limites laterais delimitem o caminho a seguir. Quem deseja ir a todas as direções não constrói nenhum caminho; sua vida fica sem sentido. E uma vida sem sentido não pode ser uma vida feliz.

Uma vida, baseada puramente no cumprimento da lei – seja da religião, da família, da moral, da sociedade ou do trabalho –, é dura, rígida, fria, marcada pela noção de obediência. Uma vida pessoal, baseada perfeitamente na lei, pode chegar à perfeição da dureza e da frieza, mas não a uma vida feliz, à paz interior ou ao alegrar-se com Deus. Entretanto uma vida, baseada no amor, entendido equivocadamente como "liberdade total", "pura espontaneidade" ou a ausência total de normas reguladoras, também não pode nos levar a uma vida feliz porque não nos possibilita um sentido mais duradouro e profundo para nossa vida. Além disso, o viver no amor sempre significa conviver com outras pessoas que, por serem outras, têm desejos, interesses e formas diferentes de ver o mundo. O que exige de cada um o respeito pelos limites de si e de outros e a capacidade de solucionar os possíveis conflitos e de reconciliar-se.

Não se deve negar o amor em nome da obediência e cumprimento das leis ou das normas, mas também não se deve negar a necessidade das leis e normas em nome de um amor "anárquico". É por isso que São João nos apresenta esta "sabedoria circular": mandamento-amor-mandamento-amor. Só que essa circularidade tem um polo dominante. É como um casal que dança uma valsa: os dois são necessários para que haja a dança, mas há um que está dirigindo o rodopiar da dança. Para São João, o valor fundamental é o amor. Um amor vivido em comunidade, na relação com pessoas concretas, e não na fantasia de alguém solitário. Por isso um amor que sabe quando respeitar ou "suspender" as normas para buscar, conjuntamente, uma vida feliz.

Essa sabedoria de equilibrar o amor e as normas parece ser um bom guia e um bom caminho para nossa jornada interior.

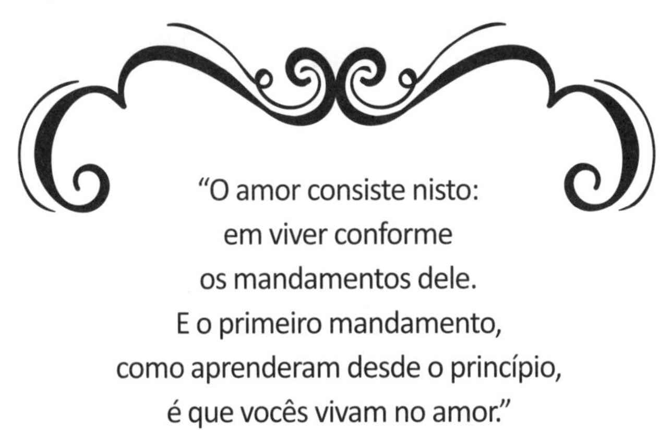

"O amor consiste nisto:
em viver conforme
os mandamentos dele.
E o primeiro mandamento,
como aprenderam desde o princípio,
é que vocês vivam no amor."

(São João)

7
Um outro caminho para a felicidade

Nossa reflexão sobre a busca de uma vida feliz nos levou ao tema da busca da perfeição, que nos levou para "lugar algum", mais para o vazio do que para a felicidade. Na verdade, nosso caminhar não foi totalmente infrutífero, porque nos conduziu a um sábio ensinamento de São João. Talvez nós devêssemos mudar um pouco nosso rumo e experimentar um pouco mais dessa sabedoria antiga que vem do povo semita.

Nossa cultura ocidental foi construída sobre dois grandes pilares: a cultura greco-romana e a tradição semita. Desta segunda tradição, pouco falada entre nós, nascem o judaísmo, o cristianismo e islamismo. Na expansão do cristianismo pelo mundo romano e pelo resto da Europa ocorreu, como não poderia deixar de acontecer, uma fusão do cristianismo com a cultura grega, romana e também a dita pagã. Assim, muito da lógica e do pensamento tipicamente semita, em que o primeiro cristianismo foi vivido e pregado, foi sendo absorvido, transformado e até "invertido". Com essa fusão e outras influências e misturas, que ocorreram nos dois mil anos de história, o cristianismo de hoje é bastante diferente do de sua origem.

Mencionei esse fato para mostra que a noção de perfeição, com que estivemos trabalhando para encontrar o caminho de uma vida feliz, pode também estar sob o impacto dessa "fusão" histórica entre o pensamento helênico e o semita. A nossa reflexão sobre o texto de São João, um semita, que também utilizou categorias do pensamento grego para expressar seu pensamento semita, indicou-nos que ele foi para uma direção muito diferente a que estamos acostumados. Ele usou uma lógica e uma forma de argumentar estranhas para nós.

A busca de uma vida feliz por meio de um corpo perfeito, um consumo ilimitado, um controle total sobre a vida e uma vida pessoal-moral-profissional impecável pressupõem uma noção de perfeição, que vem mais da tradição grega; uma perfeição entendida como ausência de defeitos e erros, harmonia perfeita entre as partes e, mais importante, a autossuficiência, a não dependência de outros.

Se entendermos a perfeição nesse sentido, a procura de perfeição se torna uma corrida sem possibilidade de vitória e sem-fim. Mas, o mais grave é que, mesmo que chegássemos lá, seríamos profundamente infelizes, pois, quando conseguimos alcançar um objetivo muito almejado, queremos ter conosco pessoas que amamos e nos amam, que nos complementam, para celebrarmos o sucesso. Se a meta é atingir a perfeição humana, isto é, atingir um estado em que não precisamos de mais ninguém para nos complementar ou com quem compartilharmos a vida, chegar lá deve ser algo muito infeliz. E, se alcançar a meta significa a infelicidade, o próprio caminho não deve nos propiciar experiências de estarmos vivendo uma vida feliz.

Alguém novamente poderia nos lembrar: "Jesus também disse para que sejamos perfeitos". Então, o caminho proposto por Jesus e também por outras religiões, que propõem uma vida de perfeição, seria um caminho marcado pela frustração, ansiedade e infelicidade. Se isso for verdade, as religiões não passariam de ilusões que apresentam essa jornada marcada por sofrimentos como o caminho de purificação ou de sacrifícios necessários para a salvação.

Será que as grandes tradições religiosas e espirituais da humanidade não passariam de ilusões que nos servem de consolo ou alienação do mundo real?

De novo aqui não temos uma resposta rápida e simples. Ah, como a vida seria mais fácil se tudo fosse tão simples, claro e direto como insinuam alguns livros e autores mais preocupados em agradar os leitores, para aumentar as vendas, do que em propor caminhos que, mesmo mais difíceis, podem nos levar a uma verdade mais profunda.

Tenho encontrado, em andanças nos mais variados meios religiosos e também nos meios não religiosos, pessoas que criam ou vivem ilusões para fazer de conta que seu "vale de lágrimas" é o caminho de uma vida feliz. Para isso chegam a criar ou acreditar em imagens horrorosas de deuses, de espíritos ou de destino, que pedem uma vida cheia de sacrifícios em troca de uma felicidade futura ou da sensação imediata de ser um dos escolhidos pelos deuses ou pela história. Imagino que, para muitos, esse tenha sido o melhor jeito que encontraram para lidar com as inseguranças, as dores e os sofrimentos.

Diante de pessoas que vivem essas situações difíceis, nós não podemos cair no erro de condenar ou criticar antes mesmo de conhecer toda a história e todas as possibilidades concretas de cada uma delas. Assim como também não podemos criticar todas as religiões ou uma religião determinada por causa desse tipo de caso. Acho que o mais importante é ajudar essas pessoas a encontrarem opções de vida, de Deus e da espiritualidade, para poderem ter uma vida mais humana e feliz.

Falo isso porque também encontrei muitas pessoas que, seguindo um caminho religioso ou espiritual, foram testemunhas vivas de que a vida feliz, a paz interior (Dalai Lama) ou o alegrar-se com Deus (Santo Agostinho) são possíveis. Não que elas tivessem uma vida fácil e prazerosa, mas elas revelaram uma "transparência" de seu ser que me levou a dizer para mim mesmo: "Deus existe!" É claro que minha referência a Deus tem a ver com minha história pessoal. Outras poderiam dizer "a paz interior é possível!" ou algo assim. Mas minha reação mais imediata, invocando a Deus, era realmente "imediata", sem pensar e sem passar por uma censura interna. Eu nunca consegui sentir isso diante das grandes catedrais, das mesquitas, dos templos budistas ou de outras obras religiosas belas. Diante dessas obras, vêm-me a admiração, pela capacidade da obra humana, e, depois, um pouco de raiva ou indignação à lembrança de tanta gente e tanto povo espoliados e explorados para que essas obras pudessem ser erguidas. Reação imediata associada com Deus, só diante das pessoas que faziam transparecer em seu rosto, em seu ser, a paz interior e/ou, como dizia Santo Agostinho, a alegria de estar com Deus na profundidade de seu ser.

Essa linguagem meio religiosa, que faz referência a Deus na busca de uma vida feliz, não precisa ser lida literalmente por pessoas que não creem em Deus ou por aquelas que chegaram à conclusão, bastante sensata, de que não podemos ter certeza nem falar diretamente de Deus, porque, se existe de fato, é muito maior do que a capacidade do pensamento humano. Por isso, gosto muito do pensamento de Santo Agostinho quando ele diz: "Quando te procuro, ó meu Deus, procuro a felicidade da vida". É claro que ele acreditava na existência de Deus e que Deus é, ou seria, a fonte da felicidade da vida. Mas podemos ler essa mesma frase de um outro jeito: Deus é o nome que damos à fonte da felicidade humana. Por isso, onde as pessoas religiosas usam o nome Deus, as que desejarem podem interpretar como "a fonte da felicidade humana", aquilo que não sei nomear, mas que nos aproxima de ser plenamente feliz.

Quero compartilhar com vocês uma experiência, um exemplo do que eu dizia um pouco acima sobre o testemunho da possibilidade de uma verdadeira felicidade. Por acaso, ou não tão por acaso, é uma experiência com uma monja católica. Mas, antes de continuar, deixe-me dizer algo para evitar mal-entendido. Conheci pessoas de outras igrejas cristãs e de outras religiões que também me propiciaram esse mesmo tipo de experiência. Minha história pessoal me levou a ter mais contato com o mundo católico, e essa mulher em particular me marcou muito e foi a primeira que me veio à memória. O fato de ela aparecer instantaneamente, quando pensei em compartilhar com vocês alguma experiência, deve significar algo.

Ela era uma monja beneditina, daquelas enclausuradas, que nunca – ou quase nunca – deixam o mosteiro. Eu a conheci acompanhando um padre amigo meu que foi rezar uma missa lá. Eu não me lembro bem de como foi, mas, após uma missa, fomos a uma sala onde as monjas podiam conversar com as visitas, separadas por um tipo de balcão baixo; passei um bom tempo conversando com ela. Isso foi há 30 anos e, se minha memória não falha, o nome dela é ou era Irmã Genoveva. Engraçado, eu tentei por muito tempo lembrar seu nome, mas não conseguia. Só me lembrava dela. Quando comecei a escrever que queria compartilhar essa experiência, vieram-me instantaneamente a imagem e o nome dela. Espero que minha memória não esteja me pregando uma peça com o nome. Em todo caso, a figura e o rosto dela me impressionaram muito desde o primeiro momento. Não era a beleza, pois ela tinha um rosto comum e sempre estava com o hábito e o véu; a transparência e a alegria, estampada no rosto dela, eram algo de "outro mundo".

Ela havia entrado no mosteiro há quase 30 anos e saído de lá apenas duas vezes. Vivia lá todo esse tempo vendo as mesmas pessoas, fazendo as mesmas coisas, seguindo uma mesma rotina de oração, trabalho e afazeres do cotidiano. Mas o olhar e o rosto mostravam que ela era feliz, tinha uma paz e alegria interna indescritível. Eu não conseguia ver isso com essa clareza nos rostos das outras monjas que conheci ou vi naquela sala. Uma em particular me dava uma clara impressão de que o lugar dela não era lá. Fui, muitas vezes, ao mosteiro conversar com a Ir. Genoveva e, todas as vezes, saía de lá com a impressão de que ela tinha realmente vocação para ser monja. Ela estava vivendo a vida que a realizava, desenvolvia seu ser, conforme sua natureza; uma vida que ela podia com sinceridade dizer "sim, é isso!", ou qualquer outra explicação que algum pensador possa dar sobre uma vida feliz.

Conheci outras pessoas que eu podia dizer, com segurança, que viviam uma vida feliz, apesar de todas as dificuldades e todos os contratempos do dia a dia. Mas a irmã Genoveva foi a que mais me chamou a atenção por sua vida de clausura. Ainda não consigo entender bem o sentido ou a razão de uma vida religiosa enclausurada na igreja do mundo de hoje. Porém não posso negar que ela era feliz na vocação dela, no sentido da vida que tinha escolhido ou acolhido. Pessoas como ela nos mostram que a razão lógica, que analisa funções de sistemas, eficiência de um processo produtivo, e coisas assim, não é a mais indicada quando se trata de viver uma vida feliz.

Quando me sentia meio perdido em minha vida, duvidando de quase tudo, inclusive de Deus, ia lá visitar a monja e voltava convencido de que a vida tem um sentido e que vale a pena lutar e viver. Voltava com mais fé, na vida e em Deus. Qual o segredo dessa transformação? Hoje, depois de tantos anos e mais amadurecido, penso que a chave para isso era o amor com que ela me recebia. Com seu rosto sereno, transparente e radiante, ouvia-me tranquila e pacientemente, sem pressa nenhuma, como se eu fosse a pessoa mais importante do mundo naquele momento, e conversava comigo com sabedoria, compartilhando minhas angústias, sofrimentos, perguntas e sonhos. Ela era uma pessoa que tinha "aprendido" a amar de um jeito profundo e sereno, a amar gratuitamente, sem exigência ou pressão.

Não lembro por que deixei de visitá-la. Acho que foi a correria da vida, do trabalho e das atividades pastorais em que eu estava envolvido, pensando que poderia mudar o mundo se eu corresse muito. Hoje, vejo que foi uma grande pena ter deixado de visitá-la. Se tivesse mantido o contato por mais tempo, teria aprendido mais sobre a íntima relação entre a vida feliz e a capacidade de amar, sem pressa e sem pressão. Teria aprendido mais sobre como o amor é o caminho da perfeição.

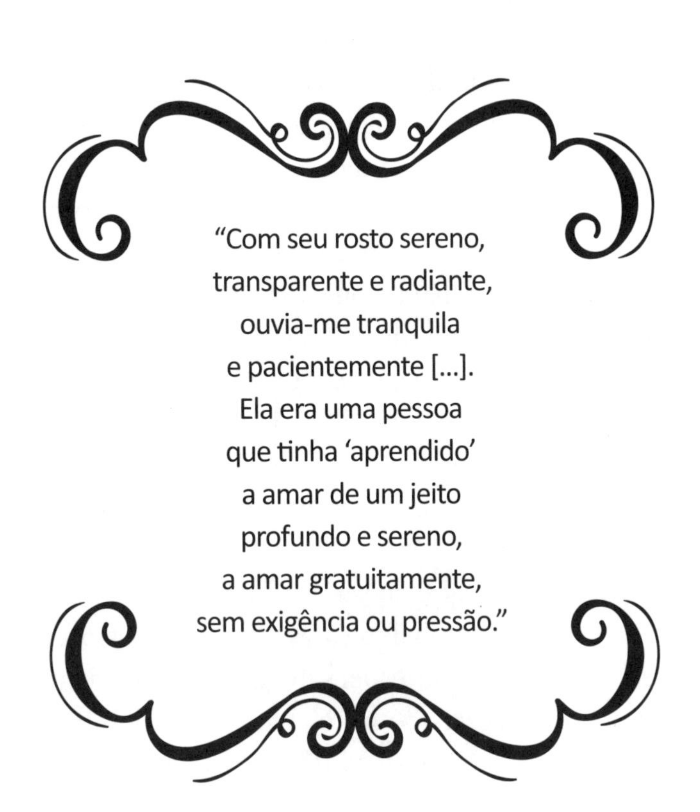

"Com seu rosto sereno,
transparente e radiante,
ouvia-me tranquila
e pacientemente [...].
Ela era uma pessoa
que tinha 'aprendido'
a amar de um jeito
profundo e sereno,
a amar gratuitamente,
sem exigência ou pressão."

8
A estranha perfeição de Deus

Minha experiência com a irmã Genoveva, como também com tantas outras pessoas que procuravam viver uma vida com amor, serenidade, compaixão e ternura, faz-me procurar um outro sentido para a noção de perfeição. E se a fusão entre a cultura semita dos evangelhos e a filosofia helênica nos confundiu a respeito do que é ser perfeito? E se o caminho da perfeição, que nos leva a uma vida feliz, não for o do cumprimento perfeito das normas e leis – morais, sociais ou religiosas –, nem a perfeição do corpo ou do trabalho? E se a perfeição não for perfeição? Isto é, e se o que nós entendemos como perfeição não for do tipo de perfeição que nos leva a uma vida feliz?

Para respondermos a essas questões, penso que seria interessante voltarmos à passagem do evangelho em que Jesus fala da perfeição: "Sejam perfeitos como é perfeito o Pai de vocês, que está no céu". Jesus diz que seus seguidores devem ser perfeitos como Deus é. Em outras palavras, Jesus propõe a perfeição de Deus como o modelo para a nossa caminhada. Então, precisamos saber em que consiste a perfeição divina, para sabermos qual deve ser o nosso caminho, e em que consiste a perfeição que devemos buscar.

Quando pensamos sobre características de Deus, geralmente a primeira ideia que vem à mente é que Deus, por ser perfeito, é onisciente (sabe tudo), onipotente (pode tudo), onipresente (está em toda parte), absolutamente autossuficiente e é perfeitamente bom, belo e justo. É uma noção de perfeição que compartilha os mesmos pressupostos das noções de perfeição que vimos nos capítulos anteriores. Mas, será que é isso que Jesus tem em mente?

Vejamos todo o texto em que aparece a frase que estamos tentando compreender:

> Vocês ouviram o que foi dito: "Ame seu próximo e odeie seu inimigo!" Eu, porém, digo-lhes: amem seus inimigos e rezem por aqueles que perseguem vocês! Assim vocês se tornarão filhos do Pai, que está no céu, porque ele faz o sol nascer sobre maus e bons e a chuva cair sobre os justos e injustos. Pois, se vocês amam somente aqueles que os amam, que recompensa vocês terão? Os cobradores de impostos não fazem a mesma coisa? E se vocês cumprimentam somente seus irmãos, que é que vocês fazem de

extraordinário? Os pagãos não fazem a mesma coisa? Portanto, sejam perfeitos como é perfeito o Pai de vocês, que está no céu. (Mt 5,43-48)

Jesus diz que o Pai, que está no céu, "faz o sol nascer sobre maus e bons e a chuva cair sobre os justos e injustos". Espere aí! Se Deus trata os bons e os maus do mesmo jeito, ele não está sendo justo ou ele não sabe diferenciar aquele que é bom daquele que é mau. Nos dois casos Deus não está sendo perfeito. Afinal, todos nós sabemos que uma pessoa que tende à perfeição sabe distinguir entre o certo e o errado, entre a pessoa que comete o mal e a pessoa que faz o bem e as trata de modo apropriado, justo, conforme os méritos de cada um. Mas, se Deus não é perfeito, ele não é Deus! Parece que caímos novamente em um daqueles tipos de "labirinto" semita.

Penso que a saída desse "labirinto" não está em aprofundar essa noção de perfeição, com a qual estamos acostumados, mas em tentar compreender o pensamento de Jesus. É claro que, para Jesus, Deus é perfeito. Mas, se ele, que é perfeito, age de um modo incompatível com o que nós pensamos ser a perfeição, talvez o que Jesus está propondo é que repensemos a nossa ideia de Deus, de perfeição e, portanto, também de uma vida feliz.

Para Jesus, o que define a perfeição de Deus não são as características filosóficas e lógicas da onipotência, onisciência, autossuficiência etc., mas sim sua capacidade ilimitada de amar a todos, mesmo os injustos e os maus.

Mas como é possível amar os injustos e maus? Eles não merecem o amor de Deus! Estou plenamente de acordo com isso. Os injustos e os maus não merecem o amor de Deus, mas, segundo Jesus, Deus não os ama porque merecem, mas sim porque Ele (ou será que Deus é Ela?) ama gratuitamente a todas as pessoas, boas e más. É como se, com esse ensinamento, Jesus quisesse dizer que todas as pessoas desejam ser amadas por alguém e que todas elas, por pior que sejam, têm direito de serem amadas por alguém. Se ninguém as ama, pelo menos Deus as ama.

O amor tem pouco a ver com merecimento. O amor não é um prêmio que se dá aos bons, ele nasce da liberdade da pessoa que ama. Nós não amamos pessoas que achamos que merecem nosso amor ou que seriam as melhores pessoas para amarmos e sermos amados, mas amamos porque amamos! Posso escolher alguém para casar a partir de um cálculo sobre as vantagens e desvantagens; mas não posso amar alguém dessa forma. Amor tem uma outra lógica que não obedece às regras racionais da retribuição, do cálculo, da comparação etc. Como diz um ditado popular: "O amor é cego!"

Quando Deus ama desse jeito, Ele/Ela distingue o erro da pessoa que erra. No ensinamento de Jesus, Deus sabe a diferença entre a justiça e a injustiça, por isso as nomeia; não defende a injustiça nem propõe apagar a diferença entre o bem e o mal. O que Jesus ensina é que devemos amar as pessoas sejam elas boas ou más, como Deus ama. No fundo, Deus sabe que todos nós somos bons e maus, alguns são mais bons do que maus, outros o contrário, mas todos nós somos iguais nessa ambiguidade. Todos nós somos humanos, e Deus não faz distinção em seu amor e cuidado. Esse ensinamento de Jesus nos mostra que nisso consiste a perfeição de Deus e nos convida a sermos perfeitos como Deus, isto é, fazer do amor o caminho da perfeição.

Esse ensinamento tem uma profunda consequência também na forma como nós nos vemos. Mesmo que não gostemos ou tenhamos dificuldade em reconhecer, todos nós sabemos que em nós também há maldade e injustiça, e chegamos a ter raiva desse nosso lado meio sombrio. Algumas vezes, essa raiva com nosso lado sombrio se torna tão intensa que passamos a ter raiva de nós mesmos. E, quando somos tomados por essa raiva, passamos a ter raiva do próprio mundo e de todas as pessoas. Não suportamos ninguém e, ao mesmo tempo, tornamo-nos insuportáveis.

Pessoas que têm muita dificuldade em aceitar o lado negativo de outras pessoas costumam também não aceitar o lado mais sombrio de si. São muito exigentes consigo e com outras pessoas. Exigem de si e de outros uma perfeição impossível e com isso acabam por atrapalhar mais do que ajudar a si próprios e a outros no caminho para se tornar pessoas melhores e mais felizes. Quem não ama a si próprio, em sua integralidade, com seu lado bom e também o vergonhoso e doloroso, não é capaz de amar outras pessoas com seus aspectos bons e maus. Como também quem não é capaz de amar os "imperfeitos" não é capaz de amar a si próprio. Quem sabe diferenciar o erro da pessoa que erra condena o erro e é capaz de amar o injusto e o inimigo, de tratá-los com toda dignidade e de reconhecer neles a dignidade humana, desejando que se tornem pessoas melhores. Assim, é capaz também de amar a si próprio, diferenciando o "eu" amado dos erros e outros aspectos negativos de sua vida.

Ser perfeito no sentido que Jesus propõe é amar a mim mesmo como sou e a outras pessoas como são. Alguém movido pela pressão da perfeição poderia me retrucar imediatamente: "Mas, nós devemos melhorar, e não aceitarmos como nós somos agora!" Eu concordo com isso. Nós podemos e devemos tentar ser melhores e melhorar o mundo, mas não podemos negar a nossa condição humana. Isto é, devemos lutar contra a situação em que está minha vida e a nossa sociedade, mas não contra a nossa condição humana. E a noção de perfeição dominante em nossa cultura ocidental é uma proposta que vai contra a condição humana. Os próprios mitos e as próprias tragédias gregas alertavam contra a tentação de querermos superar a condição humana para chegarmos à perfeição, como os deuses.

No ensinamento de Jesus, ser perfeito como Deus é amar como Deus. Mas também devemos saber que é impossível amar como Deus, se pensarmos que amar como Deus é amar "perfeitamente", sem nenhuma falha ou deficiência nesse amor. Não é isso! Amar como Deus é amar as pessoas como são, isto é, amar a nós mesmos e outras pessoas com um amor humano, por isso não perfeito. É aceitar que não amamos perfeitamente e nos amarmos assim mesmo, sempre nos reconciliando com a nossa condição humana, assumindo e amando a nossa condição humana e nosso amor humano.

Em resumo, o primeiro passo para ser perfeito na proposta de Jesus consiste em não querer ser perfeito em nossa concepção ocidental. Assim, reconciliando--nos com a nossa condição humana, podemos nos libertar – mesmo que não completamente – da pressão interna que nos exige uma correria infindável em busca de uma perfeição equivocada e impossível. É um passo fundamental para a paz interior e as relações mais saudáveis e uma vida mais feliz.

Um segundo passo poderia ser a pergunta: o que fazer para não sentirmos raiva das pessoas más e de nós mesmos quando nos defrontamos com aspectos sombrios e dolorosos de nossa vida? Essa é uma questão importante porque a raiva nos impede de perceber a diferença entre a pessoa e o erro, e, sem isso, é muito difícil amarmos a nós mesmos e a outros.

Dalai Lama tem um ensinamento que pode nos ajudar: "Não temos meios de distinguir entre certo e errado se não levarmos em conta os sentimentos dos outros, os sofrimentos dos outros". Nós estamos acostumados a julgar uma ação ou uma atitude comparando com o que nós pensamos ser uma vida moral perfeita ou consultando uma espécie de lista, que carregamos dentro de nossa cabeça e que contém a relação do que é moralmente correto e incorreto. Por exemplo, diante de um roubo, consultamos rapidamente a lista e sabemos que é errado. Ou então, diante de uma demonstração de afeto entre duas pessoas do mesmo sexo, uma pessoa com uma lista moral mais "conservadora" condenaria o ato, enquanto que outra pessoa mais "liberal" acharia normal. O que temos em comum entre essas posturas, importando se é mais conservadora ou liberal, é que as ambas estão usando a mesma lógica de consultar uma lista ou um modelo de perfeição pré-estabelecido para julgar as ações. Os juízos já estão estabelecidos *a priori*, basta encontrar a classificação correta.

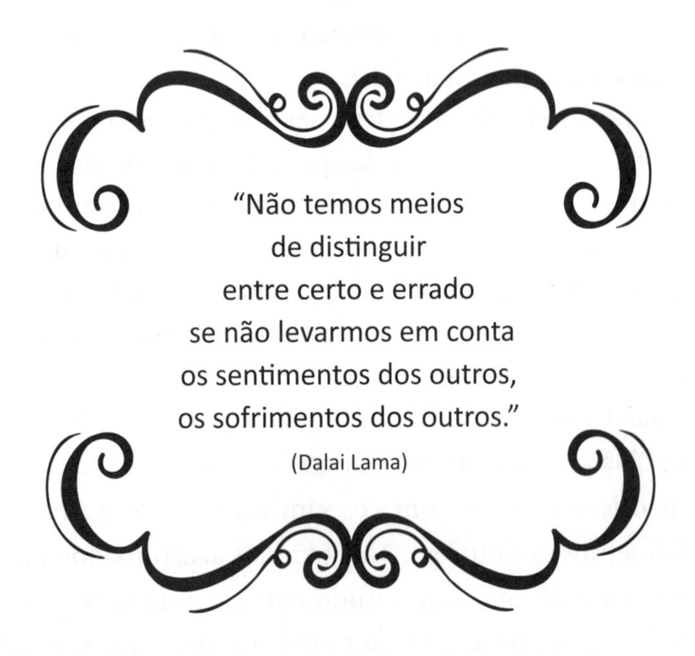
"Não temos meios
de distinguir
entre certo e errado
se não levarmos em conta
os sentimentos dos outros,
os sofrimentos dos outros."
(Dalai Lama)

O que Dalai Lama nos propõe é que, antes de emitirmos juízos, devemos levar em consideração os sentimentos e os sofrimentos dos outros. Não somente para julgar nossas ações em relação às outras pessoas, mas também para julgarmos as ações delas. E eu acrescentaria julgarmos nossas ações e características. Diante de um jovem agressivo, precisamos conhecer seus sentimentos, seus sofrimentos e sua história pessoal para podermos compreender o que passa com ele e só depois emitir qualquer juízo ético. Talvez ouvindo e conhecendo sua história, suas dores, seus medos e suas esperanças, possamos ver o jovem para além de sua agressividade e sentirmos compaixão por ele, a dor dele em nós, porque no fundo os sofrimentos nos lembram que todos nós somos humanos.

Assim também com nossos erros ou "pecados". Antes de ser tão rigoroso comigo mesmo, seria muito importante tomar o contato com a dor e o sofrimento que sinto quando recordo aquilo que considero um erro ou uma falha grave. Muitas vezes, esse sofrimento me faz mergulhar em um mar mais profundo e me faz aproximar de uma dor mais primordial de que eu quero fugir. Quando isso acontece conosco, podemos sentir uma tensão e um conflito imenso no peito e pode vir uma vontade imensa de soltar um grito profundo; entretanto geralmente nosso corpo enrijece em um esforço gigantesco para reprimir esse grito, essa dor. É mais fácil, nesses momentos, fugirmos desse encontro com o "eu profundo" e termos uma postura de alguém que julga, com o olhar de um juiz pretensamente frio e racional, que usa dos "rigores da lei" para condenar os erros e elaborar explicações bastante racionais para todo o processo; ou então simplesmente pensarmos ou fazermos outra coisa. Se nós tivéssemos força para permanecermos mais tempo naquela situação de sofrimento e dor, que nos dá muito medo, poderíamos prescindir daquelas explicações pretensamente racionais, que mais escondem do que revelam, ver que nossos erros ou pecados não são tão imperdoáveis, reconciliar-nos conosco e nos aceitar e amar.

Amar a nós mesmos, como somos, e a outras pessoas, com todas as suas imperfeições, suas dores e seus sofrimentos, implica sentir compaixão e a dor do outro. É sentindo a dor das outras pessoas que as podemos compreender e amar. Assim como é preciso também que o "eu" que pretende estar no controle de minha vida seja capaz de sentir a dor e o sofrimento do "eu-profundo", o "eu" que não quero que venha à tona, para que eu possa me compreender e me amar. Compaixão pelo outro e por mim mesmo parece ser um dos segredos para uma vida feliz. Nesse mesmo sentido, Dalai Lama diz que é preciso "desenvolver o sentimento de compaixão do qual depende a felicidade".

Esse caminho da compaixão e amor para uma vida feliz também não é fácil, mas é mais humano e verdadeiro. No caminho do amor, perdemos ou, até mesmo, abdicamos da sensação de controle sobre nossa vida e sobre a vida de outras pessoas, porque no amor estamos na lógica da liberdade e não mais do controle e da obediência. Essa insegurança inevitável no amor é que faz o caminho parecer mais difícil ou ameaçador do que realmente é. Porém, na verdade, no outro caminho nós também não tínhamos o controle, só a sensação dele, só o desejo opressivo de controlar a nós mesmos e aos outros.

Toda vez que penso nessas questões, vem-me à memória o rosto sorridente do papa João Paulo I, aquele que morreu um mês após ser eleito papa. Além de seu sorriso franco, honesto e seu jeito muito humano, uma frase dele marcou seu pontificado e minha memória. Ele disse que Deus não é Pai, pois, em nossa sociedade patriarcal, a figura do pai representa a lei, a ordem e a obediência. Para João Paulo I, Deus não podia ser invocado com essa imagem de poder, severidade e punição. Para ele, as palavras, como amor, misericórdia, paciência, perdão e a capacidade de suspender a aplicação da lei, quando está em jogo o amor e a vida de uma pessoa, eram muito mais apropriadas para nos referirmos a Deus. E essas características estão mais associadas, em nossa cultura patriarcal, à figura materna do que a paterna. Por isso, ele disse: "Deus é mãe!" Isto é, Deus, "perfeição" humana e vida feliz têm a ver com amor, compaixão, reconciliação e misericórdia.

Apostar no amor e na reconciliação, com a nossa condição humana, como o caminho para uma vida feliz, lembra-me a experiência de aprender a nadar depois de adulto. Na vida eu não tive oportunidades ou condições de aprender muitas coisas boas, e uma delas foi a nadar. Alguns anos atrás, minha filha estava tentando me ensinar a nadar em uma praia. Ela me dizia: "Pai, relaxa, senão você vai afundar"; e eu respondia afoitamente: "Filha, se eu relaxar é que vou afundar" e tentava desesperadamente movimentar meus braços rapidamente para não afundar e me manter no controle da situação. Quanto mais me esforçava para não afundar, mais rápido afundava. É claro que estávamos treinando no raso, senão as coisas teriam ficado muito feias. Aprendi, pelo menos teoricamente, que, para nadar, precisamos relaxar nosso corpo até aquele "ponto justo" em que não é tão tenso para não afundar, mas que também não é tão relaxado que não dá para nadar. O importante é aprender a não lutar contra a água nem deixar nosso corpo ser tomado pelo medo. É preciso sentir as águas envolvendo a nossa pele, nosso corpo todo, sentir a respiração renovando a vida em nós, perder o medo e perceber que, nas águas profundas do mar e de nossa existência, encontramos lugares escuros que nos assustam, mas que também revelam belezas, verdades e forças escondidas que não vemos na aparente segurança da superfície.

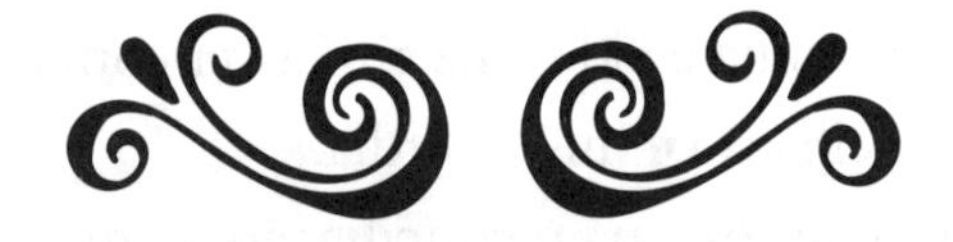

9
Arrepender e perdoar

Aos poucos fomos mudando de direção em nossa busca do sentido e modo de vida, que nos possibilitasse a alegria de viver, ou, como dizia Sêneca, na busca de viver uma vida feliz, uma vida de virtude segundo nossa natureza; ou então, no dizer do Maturana, de realizar o sentido da vida humana nos humanizando; ou, ainda na visão de Julian Marías, uma vida na qual dizemos a nós mesmos: "Sim, é isto", mesmo que a situação em que vivemos seja difícil ou penosa. Poderíamos também nos lembrar de Santo Agostinho e sua busca da verdadeira felicidade no encontro com a própria fonte da felicidade, que ele chama de Deus; e de Dalai Lama, que apresenta a paz interior como a principal característica da felicidade que buscamos, aquela paz capaz de nos fazer sentir felizes, mesmo em circunstâncias penosas, e que, em sua falta, mesmo com abundância de bens materiais, sentimo-nos insatisfeitos.

Nós deixamos o caminho da busca da perfeição para começarmos a vislumbrar o caminho do amor e da reconciliação com a nossa condição humana. Saímos da lógica da lei, controle e cálculo, em que o "eu-controlador" ocupa o lugar central, para relações baseadas na liberdade, na abertura ao outro, no diálogo e na compaixão. Agora precisamos nos avançar mais nessa direção, meditar mais sobre sabedorias que nos vêm de lugares antes desprezados ou mal-compreendidos.

Quando assisto a alguma entrevista com pessoas famosas sobre sua vida, quase sempre aparece a famosa pergunta: "Você se arrepende de algo que fez ou deixou de fazer?" E quase sempre as pessoas respondem rapidamente: "Não, não me arrependo de nada em minha vida". E sempre fico incomodado com a resposta. Há algo de estranho.

Uma pessoa não se arrependeria de nada se, em sua vida, não tivesse feito nada errado ou nada que tivesse produzido um resultado oposto do que se buscava. Mas isso é impossível! Afinal todos nós erramos, por isso dizemos que "errar é humano"; ou não é mais? Outra possibilidade é que essas pessoas nunca fizeram um balanço sério da própria vida, por isso não têm consciência de que já fizeram algo errado ou que algo produziu maus resultados para elas ou para outras pessoas; ações ou decisões essas que fariam elas se sentirem arrependidas ao tomar consciência delas. Mas, dificilmente uma pessoa vive muitos anos sem nunca ser obrigada pelas circunstâncias da vida a rever sua vida, a fazer um balanço dos acertos e dos erros. Por tudo isso, acho que há uma coisa por trás dessas negativas, geralmente, respondidas muito rapidamente.

Respostas muito rápidas para questões existenciais mais profundas indicam que a pessoa não quer pensar no assunto, não quer visitar o "velho baú", onde escondeu as questões mais dolorosas ou incômodas, e quer mudar rapidamente de assunto. Ir para a pergunta seguinte. No caso das pessoas famosas, a coisa complica um pouco mais. Elas se veem e são tratadas como "ídolos". A palavra "ídolo", em sua origem e no campo do estudo das religiões, tem a ver com a divindade: é uma imagem que representa a divindade ou é adorada como uma divindade. Quando aplicada às pessoas famosas hoje, significa que elas são intensamente admiradas e são objetos de veneração. Em certo sentido, são tratadas como se estivessem acima da condição humana normal. Sendo assim, elas são apresentadas como modelos de comportamento e de desejo. Basta ver a quantidade enorme de propagandas que se utilizam desses ídolos para levar as pessoas a desejarem comprar ou se comportar como elas.

Quando esses ídolos respondem que não se arrependem de nada, na verdade estão reproduzindo o que se espera de um ídolo em nossa sociedade: uma pessoa que não erra e não vive conflitos internos. Essa resposta padrão nos mostra que o modelo de ser humano, que esperamos de um ídolo e que almejamos ser um dia, é o de alguém que não comete erros, por isso não se arrepende. Admitir em público que tem arrependimento não seria somente embaraçoso, como também quebraria o encanto do ídolo. Seus fãs-veneradores exigem que, pelo menos, seu ídolo seja capaz de viver seus desejos de uma vida sem arrependimentos. Com isso, fica reforçada a pressão para a nossa perfeição moral ou cobrança interna por não sermos assim.

De novo voltamos ao desejo ou à pressão para sermos perfeitos. Já sabemos que esse caminho nos leva à frustração e ansiedade. Mas, o que fazer ou como superar essa pressão e aceitar a nossa condição de imperfeição moral? Novamente devemos repetir: não há uma única resposta. Cada um vai ter de fazer seu próprio caminho. Porém, acho que podemos aprender com pessoas que nos deixaram ensinamentos de sabedoria.

Quero trazer aqui uma pequena passagem do evangelho de Mateus (8,21-22), que pode nos ajudar nessas reflexões: "Pedro aproximou-se de Jesus e perguntou: 'Senhor, quantas vezes devo perdoar, se meu irmão pecar contra mim? Até sete vezes?' Jesus respondeu: 'Não lhe digo que até sete vezes, mas até setenta vezes sete'". Li e ouvi muitas vezes essa passagem e sempre entendi que tratava de como devemos perdoar muitas vezes; até que um dia comecei a ver de um modo diferente e descobri um novo aspecto.

Quando Pedro pergunta se ele deve perdoar até sete vezes, imagino que ele tenha pensado que estava sendo muito generoso. As pessoas normalmente têm dificuldade em perdoar a uma mesma pessoa mais de uma vez. Uma vez vai, mas segunda, terceira vez..., a paciência termina, e o caminho é o rompimento e não mais o perdão, que restaura a boa relação perdida. Por isso imagino que Pedro, ao se propor a perdoar até sete vezes, estava querendo mostrar a Jesus como ele era bom e paciente com outras pessoas. Talvez essa minha imaginação seja pura imaginação e não tenha nenhuma base no texto. Em todo caso, a pergunta de Pedro é pelo tamanho da paciência que uma pessoa deve ter com os erros das outras pessoas: até quantas vezes devemos perdoar?

O número sete não deve ser levado ao pé da letra, pois na cultura judaica o número sete tinha também um sentido simbólico do número da perfeição. Mas, como Jesus responde dizendo que deve se perdoar, não até sete vezes, mas setenta vezes sete, o número sete de Pedro pode ser interpretado quantitativamente. Isto é, a pergunta do Pedro tem um caráter quantitativo e trata do "tamanho" de nossa paciência com nossos irmãos que demoram demais para se tornarem pessoas moralmente corretas e pararem de cometer pecados contra nós.

Como sempre, a resposta de Jesus nos desnorteia. Ele diz para perdoar até setenta vezes sete! Isto é, quatrocentos e noventa vezes! Haja paciência. Será que esse irmão não vai se emendar nunca? É exatamente essa questão. A pergunta sobre até quantas vezes devemos perdoar pressupõe que uma pessoa deve aprender a não pecar mais. Esse aprendizado pode levar certo tempo, por isso outras pessoas devem ter um pouco de paciência e ir perdoando os pecados dele enquanto ele não se torna "santo". Mas, uma hora ele tem de se aperfeiçoar moralmente e parar de pecar. Se isso demorasse muito e ultrapassasse o número limite dos perdões, outras pessoas teriam o direito, senão o dever, de parar de perdoar e romper a relação. Quando Jesus responde com o número setenta vezes sete – dois números simbólicos –, ele mostra que não comparte com essa visão do ser humano, pois ele não está simplesmente propondo aumentar o grau de paciência. Ele vê o ser humano de um modo muito diferente.

A reposta revela a visão de Jesus sobre o ser humano. Para ele os seres humanos são capazes de querer o bem, mas também de fazer mal, que, muitas vezes, não querem; são seres que nunca chegarão à perfeição moral, por isso nunca pararão de pecar. A ambiguidade e as contradições internas são marcas essenciais do ser humano. Por isso, Jesus ensina que devemos estar preparados para perdoar a nós mesmos e outras pessoas, durante a vida toda. Perdoar para reconstruir relações rompidas, para reconhecermos que nós também somos pecadores, para não exigirmos de outros nem de nós mesmos a perfeição moral, que é humanamente impossível. Se não aceitarmos essa realidade humana, não somente em termos intelectuais, mas de uma forma existencial, não conseguiremos nos reconciliar com a nossa condição humana, com nosso ser essencial e não conseguiremos a felicidade, a alegria e a paz interior, que almejamos.

Alguém poderia achar que essa visão antropológica de Jesus é muito pessimista ou relapsa e pode incentivar a imoralidade. Pode ser, mas penso que é bastante realista. Alguns filósofos gregos, como Sócrates, que marcaram profundamente a visão moderna do ser humano, tinham uma visão mais otimista dele. Eles pensavam que o ser humano faz o mal em vez do bem, porque não tem conhecimento do que é o bem. Assim, a educação ou, em termos modernos, a conscientização seria a solução para os problemas morais. Essa visão do ser humano é otimista porque crê que o ser humano não é ambíguo, por isso o conhecimento é suficiente para levar as pessoas a fazerem o bem e abandonarem o mal.

Visões otimistas dos seres humanos são mais atraentes porque pintam um quadro mais bonito sobre nós mesmos e nos leva a pensar que as soluções para os grandes problemas humanos serão mais fáceis e permanentes. Mas como diz um ditado antigo, "quando a esmola é grande demais, o santo desconfia". Quando as respostas ou propostas de soluções para problemas fundamentais do ser humano são simples, fáceis ou otimistas demais, desconfie. Se assim fossem, os problemas já teriam sido solucionados.

Na mesma linha de Jesus, São Paulo diz algo fundamental para nosso entendimento sobre o ser humano: "Não consigo entender nem mesmo o que faço [...] Não faço o bem que quero, e sim o mal que não quero" (Rm 7,15.19). Ele sabe o que é o bem e quer praticá-lo, mas há algo dentro dele que o leva a praticar o mal que não quer. Por isso, ele confessa "não consigo entender nem mesmo o que eu faço". Ele se reconhece como um ser ambíguo, com contradições e conflitos internos. Ele percebe que só a vontade consciente não é suficiente para fazer o bem que quer. Essa visão de ser humano é – também sob a luz da psicanálise, psicologia e de outras ciências sobre a psique humana – muito mais complexa, realista e verdadeira que a otimista e ingênua.

Costumo brincar com meus alunos: "Se Paulo que era o Paulo, o grande apóstolo do início do cristianismo, confessava que vivia essa ambiguidade e contradição, eu e vocês temos todo o direito de vivermos as nossas". Paulo luta consigo mesmo para fazer o bem que quer e não o mal que não quer – e imagino que ele tenha feito muito mais bem do que mal –, mas essa luta não termina enquanto dura sua vida. Assim como Jesus respondeu que devemos perdoar até setenta vezes sete. Essa é a nossa condição humana.

Contudo, não é fácil assumirmos do fundo de nosso ser que somos "moralmente imperfeitos". Desde criança, nós aprendemos que não devemos cometer atos que em linguagem religiosa seriam chamados de pecados. Não queremos viver com essa autoimagem de "pecadores", muito menos ser conhecidos assim por outras pessoas. Aprendemos que ser pecador, ser imoral ou profissionalmente falho é ser afastado da presença de Deus, ou da vida feliz – conforme o pensamento de Santo Agostinho. Por isso, queremos dizer para nós mesmos e nos mostrar para outros como não pecadores, como não falhos como aqueles que não precisam arrepender-se de nada.

Mas será que assumir ser pecador, ser falho realmente nos afasta de uma vida feliz? São João nos apresenta uma visão muito interessante e até surpreendente: "Se dizemos que não temos pecado, enganamos a nós mesmos, e a verdade não está em nós. Se reconhecermos nossos pecados, Deus, que é fiel e justo, perdoará nossos pecados e nos purificará de todas injustiças. Se dissermos que nunca pecamos, estaremos afirmando que Deus é mentiroso, e sua palavra não estará em nós" (1Jo, 1, 8-10).

Mesmo retirando todo o caráter religioso deste texto e assumindo somente a dimensão de sabedoria, podemos aprender com ele que o caminho de uma vida feliz passa por uma vida baseada na verdade – nós somos seres ambíguos e, portanto, moralmente imperfeitos –, porque somente na verdade é que podemos realizar nosso "ser essencial" e sermos felizes.

É no pedido de perdão e no perdoar que reconhecemos a verdade sobre o mal ocorrido. O perdão não significa esquecer o que aconteceu, pois, se esquecermos ou fizermos de conta que nada ocorreu, o mesmo mal voltará a ser cometido incessantemente. É só reconhecendo o acontecimento do mal que podemos lutar para evitar sua repetição. É pedindo e dando perdão que podemos nos libertar da trama do mal e nos vermos como seres humanos capazes também de reconstruir as relações e de construir um futuro melhor. Como diz Desmond Tutu, o ex-arcebispo da Igreja Anglicana da África do Sul, ganhador do Prêmio Nobel da Paz de 1984, que dirigiu a Comissão de Verdade e Reconciliação na África do Sul após o fim do apartheid: "Não há futuro sem perdão".

Reconhecendo-nos como pecadores, não exigindo de nós e de outros uma perfeição não humana, podemos ser justos conosco, sentindo-nos perdoados pelo "eu" que cada um de nós tem no mais profundo de si; assim poderemos ser mais justos também com outros perdoando-lhes. Desse modo, poderemos viver uma vida com mais paz interior, compaixão e amor.

"Não há futuro sem perdão."
(Desmond Tutu)

10
A amizade, o silêncio e o choro

Meditando sobre o perdão, a reconciliação e o amor, vamos aos poucos percebendo, com mais clareza e profundidade, que a felicidade não é algo que conquistamos com trabalho duro, com competência e sucesso. A felicidade não é um objeto, como uma medalha ou um carro luxuoso, que ganhamos por mérito de nossas ações bem-sucedidas e que podemos guardar em um cofre ou carregar conosco. O que podemos é viver uma vida feliz.

Se a felicidade fosse como um objeto ou como atingir uma meta de trabalho, nós poderíamos buscá-la obsessiva e compulsoriamente com nosso esforço pessoal. Mas, como temos visto até aqui, uma vida feliz não se alcança assim. Não se pode viver uma vida feliz sozinho. É claro que o sozinho aqui não quer dizer viver só em uma ilha isolada. Todos nós já sentimos pelo menos alguma vez solidão mesmo no meio de muita gente. Podemos trabalhar em equipe, tomar cerveja e jogar conversa fora em rodas de amigos que acabamos de conhecer ou ter milhões de amigos na Internet, mas, ao mesmo tempo, podemos nos sentir existencialmente sozinhos. A amizade é algo diferente, é algo mais profundo, que precisamos cultivar, e leva algum tempo para amadurecer.

Sem amizade verdadeira não se pode sentir que se vive uma vida feliz. A vida se torna muito triste quando conseguimos realizar um grande objetivo ou quando ficamos muito contentes com o resultado de um trabalho longo e intenso e não temos amigos de verdade para celebrar esses feitos. Por exemplo, quando recebo os primeiros exemplares de um livro que escrevi e vejo que meu trabalho ficou realmente bom, pelo menos para mim, sinto uma imensa alegria em meu peito, que só é superada pela felicidade que sinto ao ver nos olhos de meus filhos e de minha esposa, e também de alguns amigos, aquele brilho de contentamento, seguido de um abraço quente e sincero. Sem essa amizade e o amor deles, minha alegria com meu livro se esvaneceria rapidamente. Sucesso não nos torna felizes se não acompanhado de amizade verdadeira.

Nos momentos tristes e difíceis da vida, a amizade também tem um papel fundamental. Quando um amigo ou uma amiga nos escuta paciente e seriamente os desabafos de nossas preocupações, de nossos medos, de nossas tristezas ou de nossos sofrimentos, nós nos sentimos mais fortes para enfrentar os problemas e esses parecem menores do que se mostravam antes. Muitas vezes, essas pessoas que nos ouvem não conseguem dizer nada de significativo para nos ajudar, mas isso não importa. Só o fato de nos ouvirem com atenção, de mostrarem em seus olhos que estão realmente preocupadas conosco e de "perderem" tempo nos ouvindo nos mostra que são amigas e nos fazem sentir amados, por isso mais fortes. É essa compaixão, esse sentir triste com a nossa tristeza, compartilhando nosso problema e nossa preocupação, que mostra que essas pessoas nos nutrem verdadeira amizade. Amigos só dos momentos de sucesso são apenas colegas que aproveitam a nossa festa.

Há outra característica que também nos revela quem são os verdadeiros amigos: a coragem de criticar ou contradizê-los. Isso fica mais claro quando pensamos nos casos das pessoas que fazem muito sucesso, especialmente os artistas. Nesse meio não são raras as ocasiões em que as pessoas que nutrem uma verdadeira amizade são afastadas dos círculos mais próximo dos ídolos. Isso porque esses ídolos são cercados por pessoal do staff, que tem a função de satisfazer todos os seus desejos imediatos e dizer sim para tudo. Como ninguém gosta de ser contrariado, especialmente aqueles que assumem a identidade de ídolo, a tendência é um mútuo reforço entre a vontade do ídolo e a função do staff de dizer o sim. Como o objetivo do staff é ganhar dinheiro com esse trabalho, só lhe interessam questões que manterão o sucesso financeiro. Só os verdadeiros amigos ou amigas têm coragem de contradizer ou alertar o amigo sobre questões existenciais importantes para uma vida feliz. Coragem essa que, muitas vezes, significa ser afastado do círculo mais próximo. Nem todos nós somos amigos de algum ídolo, mas a coragem e honestidade para nos contradizer ou chamar atenção, quando necessário, revela que temos um amigo ou uma amiga de verdade.

Uma pessoa pode ser feliz sem dinheiro, sem conforto ou sem reconhecimento social, mas não sem amizade. A autossuficiência, definitivamente, não é caminho para uma vida feliz. Por isso, penso que vale a pena alongar um pouco mais nesse assunto comentando duas cenas de amizades entre Jesus e as irmãs Marta e Maria.

O evangelho de João (11,1-43) narra que Lázaro, irmão de Maria e Marta, ficou doente e suas irmãs enviaram a Jesus um recado: "Senhor, aquele a quem amas está doente". Era como um pedido de socorro, pois elas confiavam que ele poderia curar seu irmão. Porém, Jesus não foi imediatamente à Betânia e só chegou lá após quatro dias de sepultamento. É claro que as irmãs ficaram chateadas com Jesus por causa disso e reclamaram: "Senhor, se estivesse aqui, meu irmão não teria morrido". Essa reclamação tão direta revela a amizade que havia entre eles.

Antes que você fique na expectativa de que eu fale da ressurreição de Lázaro e da ressurreição dos mortos, quero deixar claro que não vou tratar disso aqui, pois nosso tema em discussão é a amizade. Aliás, estou "devendo" um livro sobre a morte e a esperança de vida pós-morte para minha filha. Uma vez estávamos sentados diante do mar, contemplando o horizonte, quando de repente minha filha me perguntou: "Pai, o que é a morte?" A pergunta me pegou de surpresa. Comecei a esboçar uma explicação que uma garota de 14 anos pudesse entender sobre o sentido da vida e o mistério da morte. Após um breve diálogo, eu lhe prometi que um dia escreveria um livro sobre isso. Outras pessoas que, em palestras ou cursos, souberam de minha promessa também me cobraram. Ainda quero cumprir essa promessa, mas não agora.

Voltemos ao Lázaro. O evangelista João nos conta que Maria reclamou com Jesus, chorando, e que, "quando Jesus a viu chorar [...], comoveu-se interiormente, ficou conturbado" e depois também "chorou". Jesus chorou com Maria a morte de Lázaro. Ao ver o choro de Jesus, as pessoas que estavam lá comentaram: "Vejam como ele o amava!"

Muitas vezes, mesmo que tenhamos vontade de chorar, nós nos conteremos por causa da presença de pessoas estranhas ou não tão íntimas. É como se nós tivéssemos que manter uma compostura diante de outras pessoas. Mas isso não explica tudo porque nós contemos o choro mesmo quando estamos sós. Lutamos contra a vontade de chorar porque o choro nos conecta diretamente com a fonte de nossa dor, porque nos sentimos muito inseguros diante da dor e queremos manter o controle de nosso corpo nos contendo e não deixando essa vontade tomar conta de nós. Porém, quando uma pessoa amiga se aproxima de nós, uma pessoa em quem confiamos e que nos faz sentir mais seguros, nós nos abrimos a nossa dor, relaxamos e choramos em seus ombros. E chorar nos faz bem.

As pessoas amigas também costumam chorar conosco, compartilhando nossa dor, porque não se fecham ao sentimento de compaixão que brota de dentro delas. Talvez a presença de pessoas estranhas pudesse nos constranger, mas a amizade fala mais alto e a vergonha de chorar em público é deixada para trás por conta da amizade, da dor de ver a dor de uma pessoa amiga. É isso que acontece com Jesus: ele chora com a Maria. O interessante é o comentário das pessoas que estavam lá: "Vejam como ele o amava!" O choro em público mostra que o amor dele é maior do que o medo de sentir a dor da perda e a vergonha. É o amor ao seu amigo Lázaro e às suas amigas Maria e Marta que faz esse judeu, um homem, chorar em público.

Não há nada mais forte, para ligar as pessoas em uma relação profunda de amizade e afeto, do que compartilhar o sofrimento, a dor e o choro. A duração das relações afetivas entre amigos, casal e família não é proporcional aos copos de cerveja, risos ou prazeres compartidos, mas sim aos choros e às dores vividos e partilhados juntos. Quando choramos juntos, selamos uma amizade que dá autoridade para cada um dos envolvidos nessa relação para alertar, criticar ou estabelecer limites para o bem e vida feliz do outro. Esse tipo de autoridade, que ajuda a corrigir ou rever nossos erros e nos leva ao arrependimento e à reconciliação, não é uma autoridade que vem da lei. Não basta ser pai ou "chefe", é preciso conquistar com amizade e "choro compartilhado" essa autoridade realmente verdadeira na vida das pessoas que amamos.

A segunda narrativa que quero comentar está no evangelho de Lucas (10,38-42) e nos conta sobre uma visita de Jesus à casa de suas amigas Marta e Maria. Maria ficou sentada ao pé de Jesus ouvindo suas palavras, enquanto Marta estava muito ocupada com os afazeres. Até que esta reclamou com Jesus: "Senhor, a ti não importa que minha irmã me deixe assim sozinha a fazer o serviço? Dize-lhe, pois, que me ajude".

Imagino que a Marta estava ocupada por causa da visita de Jesus. Afinal ele era um amigo importante, muito conhecido por aquelas bandas. Assim, era preciso preparado algo especial para ele e também para seus amigos discípulos, que sempre o seguiam. Uma visita de surpresa – afinal não havia telefone para avisar – dá sempre muito trabalho. Não havia nada preparado e talvez nem houvesse muita coisa em casa para tanta gente. Era preciso correr para preparar, conseguir algo emprestado com os vizinhos, limpar a casa... todas essas coisas que as mulheres conhecem bem mais e melhor do que homens.

Para Marta, provavelmente, esse trabalho não era meramente uma questão de dever ou etiqueta social para com uma visita importante. Era o jeito dela de mostrar a amizade, o amor e o respeito que nutria por Jesus. Mas, mesmo com toda essa boa vontade, é muito trabalho para uma só. Por isso, ela gostaria que sua irmã, Maria, ajudasse-lhe, mas parece que ela não estava preocupada com nada e estava na sala só conversando com Jesus. Marta deve ter espiado várias vezes para sua irmã esperando alguma mudança na postura dela, até se cansar e reclamar diretamente com Jesus.

Mas, qual é a resposta de Jesus? "Marta, Marta! Você se inquieta e se agita por muitas coisas; no entanto, pouca coisa é necessária, até mesmo uma só. Maria, com efeito, escolheu a melhor parte, que não lhe será tirada". A Marta deve ter ficado muito surpreendida e frustrada com a resposta. Jesus deu razão para a Maria!

O mais importante, quando os amigos se encontram após muito tempo, é desfrutar de sua presença corporal, que antes estava presente só na lembrança e na saudade, e colocar a conversa em dia, especialmente em se tratando de um mestre como Jesus. A comida e outras coisas são também importantes, pois fazem parte da celebração da amizade, mas vêm em segundo lugar; são instrumentos e não a essência da amizade. Era isso que Marta, com seu desejo de fazer tudo de acordo com as regras de boa hospitalidade, estava perdendo de vista.

Nós vivemos em uma cultura que tem mais a ver com Marta do que com Maria. Estamos sempre correndo, fazendo muitas coisas para demonstrar nosso amor e nossa amizade. Só que nos esquecemos, muitas vezes, talvez por falta de tempo, de, simplesmente, desfrutar a presença da pessoa amiga. Comer uma boa comida e beber uma boa bebida juntos é um prazer que fortalece a amizade. Mas a comida não pode substituir o estar com amigos e amigas; como também a correria para ganhar dinheiro, para comprar presentes e brinquedos caros, não deve tirar o tempo de estar e brincar juntos.

Quando estamos com a pessoa que amamos, o mais importante é sua presença. Por isso, mesmo quando o silêncio toma conta, não nos sentimos incomodados. Mas, se a presença não é suficiente, se não há uma amizade real entre os presentes, o silêncio incomoda e é preciso voltar a conversar, falar, mesmo que seja sobre o nada; só para expulsar o silêncio.

Eu me lembro de uma viagem de carro que fiz com minha família. A viagem durou quase três horas e ninguém falou nada, ou quase nada. Foi uma viagem silenciosa. Em um dado momento, tomei consciência desse silêncio tão longo e olhei nos rostos de minha esposa e de meus filhos, mas todos nós estávamos muito bem, sem nenhum sinal de inquietação ou mal-estar. Pude experimentar como o silêncio não é um incômodo quando estamos com as pessoas que amamos.

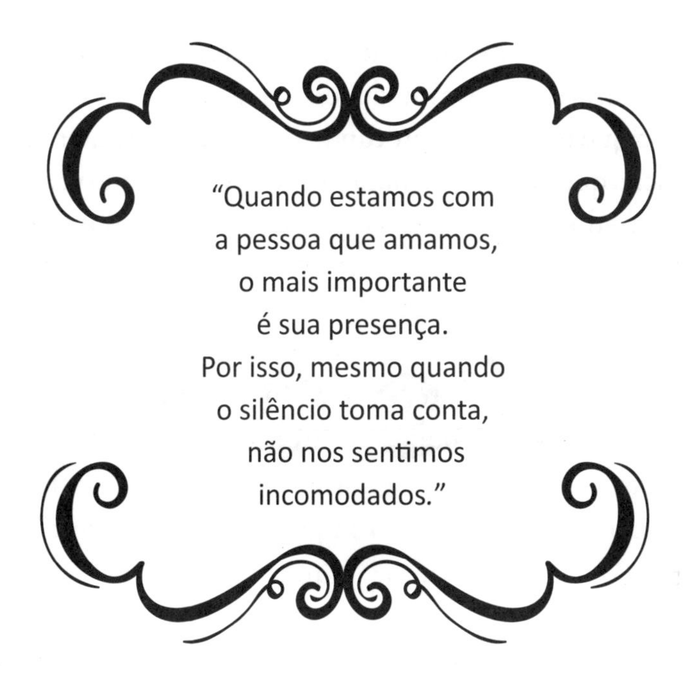
"Quando estamos com
a pessoa que amamos,
o mais importante
é sua presença.
Por isso, mesmo quando
o silêncio toma conta,
não nos sentimos
incomodados."

Isso me faz lembrar o fenômeno hoje muito comum de pessoas que vivem com sons em seus ouvidos, em todos os lugares e momentos. Parece que o silêncio lhes incomoda mesmo quando estão sós ou sem ninguém para conversar. Mesmo que esteja consigo só por pouco tempo, o silêncio lhes incomoda. Penso que isso pode estar revelando algo mais profundo do que o gosto pelas músicas; talvez a dificuldade de tomar contato consigo mesmo, sem as máscaras que usamos quando estamos em relação com outras pessoas. Pode ser também que sintam a necessidade de silenciar as vozes e os sons, que vêm do mais profundo de seu ser. De qualquer forma, acho que todos nós deveríamos pensar mais seriamente sobre esses incômodos ou essas dificuldades. Para caminharmos avante na busca de uma vida feliz, precisamos aprender a estar mais tempo com nós mesmos, a entrar em contato com o que há no mais profundo de nosso ser e ouvir mais os “sons que vêm do silêncio”, os sons e vozes que vêm do mais fundo de nós.

11
Os desejos e o sentido da vida

A felicidade tem um aspecto fundamental que falamos pouco até agora: a relação intrínseca com o futuro. Mesmo que estejamos passando por dificuldades no momento, se soubermos que, em um futuro próximo, estaremos bem melhores, nós nos sentiremos desde já mais felizes. Por outro lado, se eu estiver vivendo uma vida muito boa e ficar sabendo que, daqui uma semana, estarei com manifestações de uma doença grave, de que não tinha conhecimento, começarei a me sentir infeliz desde já. Por isso, quando digo "eu sou feliz", na verdade estou querendo dizer que "estou sendo feliz", apontando para o futuro como se dissesse "eu estou sendo e vou ser feliz". Ou então, quando dizemos que somos infelizes, estamos querendo dizer que não vemos a possibilidade de sermos felizes em um futuro próximo imaginado, por isso estamos sendo infelizes.

No primeiro capítulo, discutimos um pouco essa questão ao falarmos da vida feliz, vivida com sentido e alegria. O sentido da vida, como vimos, é um horizonte que nos abre a visão do futuro, dá-nos um rumo e um senso de direção, que nos possibilita encontrar o significado das coisas e o sentido para nosso cotidiano. Vimos também que, para vivermos uma vida feliz, precisamos nos reconciliar com nós mesmos e também com outras pessoas. Mas isso não é suficiente. Precisamos de um sentido de vida, um horizonte de futuro que desejamos, que nos estimule a desenvolver nosso potencial e aquilo que chamamos de nosso "ser" essencial. Sem esse horizonte de futuro, até a reconciliação é difícil, pois a razão da reconciliação está no desejo de construirmos e vivermos um futuro melhor, com melhores relações conosco e com outras pessoas. Assim podemos dizer que o sentido e a força, para reconciliarmos, vêm precisamente desse horizonte.

Imagine um futuro no qual gostaria de viver. Pare um pouco esta leitura e imagine. Nesse horizonte, quais são os valores centrais que articulam e dão sentido a outros componentes? É a autonomia e a autossuficiência de seu "eu"? Ou é uma vida feliz vivida em relações de harmonia e constante reconciliação consigo mesmo, com outras pessoas e com o meio ambiente? As pessoas que continuam apostando sua vida na busca da perfeição individualista, provavelmente, darão ênfase à realização de todos os desejos pessoais, que têm mais a ver com o controle e a aquisição das coisas, que geram admiração e inveja das outras pessoas, procurando uma vida autárquica, isolada, sem relações profundas com outras pessoas e consigo mesmo. Outras que concebem a perfeição humana como amor a si e a outras pessoas, provavelmente, imaginam e desejam um futuro, em que amizades, afetos, paz interior e alegria de viver são mais importantes do que acumular bens materiais e fazer cumprir leis e normas morais e sociais, pois sabem que esses são meros meios e instrumentos para a vida.

Em todo caso, introduzir o futuro como um horizonte de desejo que afeta nosso presente é introduzir a noção de tempo em nossa discussão. Com isso, devemos diferenciar os desejos imediatos dos desejos que envolvem uma realização pessoal ou um processo que exigem mais tempo para sua maturação ou realização. Na medida em que há essa diferença no tempo e na qualidade dos desejos, pode ser que ocorram situações em que surjam contradições e conflitos entre certos desejos imediatos e os que têm relação com nossos horizontes de futuro de médio ou longo prazo.

Deixe-me dar um exemplo bem simples e concreto. Imaginemos um rapaz que se preparou intensamente durante o ano para fazer um vestibular disputadíssimo. Ele nutre o desejo e a esperança de entrar nessa faculdade para poder realizar seu sonho de se tornar um grande cientista e fazer uma contribuição significativa para a humanidade. Na véspera do exame, enquanto descansa para a manhã seguinte, que será longa e cansativa, ele recebe da garota de seus sonhos o convite para uma noitada. É naquela noite ou nunca mais! A expectativa de realizar as fantasias eróticas, alimentadas por tanto tempo, atiça-lhe todos os sentidos do corpo e o mobiliza a dizer sim, mas a parte mais sensata e racional de si entra em jogo e começa a lhe lembrar de todo o esforço já feito para o vestibular e de seu sonho de se tornar um grande cientista. Ele procura convencer a si mesmo de que ele é jovem e forte e que na manhã seguinte poderá fazer o exame sem grandes problemas, mesmo que tenha dormido muito pouco ou quase nada. Nós sabemos que essa argumentação é uma racionalização de seu desejo, mas não podemos menosprezar a força desse desejo imediato.

Ele experimenta um forte conflito interior, que nasce dos desejos contraditórios e conflitantes. Se o jovem escolher a noitada e perceber, após um resultado decepcionante no vestibular, que sua garota dos sonhos foi apenas "um sonho de uma noite de verão", poderá fazer um "desabafo" do tipo feito por São Paulo: "Não consigo entender nem mesmo o que eu faço [...] Não faço o bem que eu quero, e sim o mal que não quero". É claro que, se aplicado ao nosso jovem, o "mal" é um juízo dado *a posteriori*, após ter se arrependido de se deixar levar pelo desejo imediato.

Provavelmente, a decepção do jovem com a escolha pela noitada não se dará somente ao mau desempenho no vestibular, mas também em relação ao encontro. Pois o que nós realmente desejamos em uma relação afetiva é mais do que o êxtase do prazer sensual. Buscamos algo que toque o âmago de nosso coração, como aquele olhar que nos diz "vou sentir muito sua falta quando for"; olhar que faz nosso peito vibrar com o calor que nos invade desde o fundo de nosso ser. Se a noitada tivesse resultado nesse tipo de relação, o fracasso no vestibular naquele ano não seria tão importante. Porém, nessa história, infelizmente o final foi outro.

Mas, isso não significa que a vida e o sonho do rapaz terminaram. Ele pode perdoar-se pelo erro e recomeçar. O que não podemos é apagar o passado, as opções que tomamos e suas consequências. Recomeçar após algum erro ou voltar a tentar realizar um sonho que as circunstâncias da vida obrigaram a deixar de lado é um dos segredos de uma vida feliz.

Esse exemplo nos mostra como podemos desejar coisas conflitantes. (E aqui ainda não estamos falando de conflitos que podem ocorrer entre nossos desejos e os de outras pessoas com que convivemos.) Muitas vezes, somos colocados em uma situação de conflito entre nosso desejo mais imediato e nossos desejos maiores ou mais significativos, que não são tão intensos no momento porque são realização de médio ou longo prazo. Isso nos mostra que a ideia, muito difundida em nossa cultura, de que devemos lutar para realizar todos os nossos desejos, porque teremos o direito de realizar todos eles, não é correta. Afinal, nós almejamos também desejos conflitantes ou desejos, que, mesmo não sendo conflitantes em termos de valores, são impossíveis de serem realizados ao mesmo tempo. E, quando isso acontece, temos de escolher um e abdicar do outro. Mesmo que acertemos na escolha do melhor desejo, provavelmente, sentiremos a falta do outro desejo bom que foi deixado de lado. Como o outro desejo era bom, sentimos falta da realização dele. Esta é uma das condições da liberdade: ao escolher um caminho, abdicamos do outro, que não necessariamente deixamos de desejar.

Essa é uma das razões que faz uma pessoa que escolhe o caminho do casamento ficar com inveja dos solteiros, por continuar a desejar a viver a vida de solteiro. Assim como as pessoas que escolhem a vida de solteiro continuam desejando muitos aspectos de uma boa vida de casado. A situação fica complicada quando uma pessoa escolhe realizar o desejo de uma vida a dois, uma vida afetiva mais estável com um propósito de construir juntos uma vida a médio e longo prazo, mas ao mesmo tempo não quer abdicar o desejo mais imediato das "aventuras e liberdades" de uma vida de solteiro. Essa pessoa tenta viver um tipo de liberdade impossível: escolher um caminho sem abdicar do outro.

A experiência de ter de escolher entre desejos conflitantes nos mostra que precisamos de um critério para as escolhas. Se não temos nenhum critério mais estável, corremos um sério risco de nos sentirmos meio perdidos no meio de desejos erráticos, que nos apontam para diversos caminhos ao mesmo tempo, ou então mudam de caminhos constantemente. E, se nós não decidirmos qual será esse critério orientador, a cultura dominante, com seus meios de comunicação, acabará decidindo por nós, isto é, colocando em nós os critérios que lhes interessam. Assim, passaremos a escolher entre nossos desejos a partir de um critério-desejo que nos foi introduzido sorrateiramente.

Esse critério mais estável tem a ver com o sentido que queremos dar para nossa vida. No exemplo do jovem, seu horizonte de futuro apontava para o desejo de fazer uma contribuição significativa para as pessoas realizando sua vocação de cientista. Ele se via vivendo uma vida feliz desenvolvendo seu potencial de cientista. Esse grande objetivo lhe dava sentido à vida e estabelecia os "limites laterais" que lhe permitiam manter o foco em seu futuro desejado. Esses limites laterais vêm junto com o estabelecimento do objetivo e não são vistos ou sentidos como limites que sufocam, mas como os parâmetros para as decisões necessárias na caminhada e delimitadores do campo de visão a partir do horizonte almejado. Quando uma pessoa não tem nenhum grande objetivo, quando não tem um horizonte de futuro que lhe guia e dá sentido à sua vida, todo e qualquer limite é visto e sentido como algo repressivo ou opressivo. Assim, procura lutar contra ou negar todos os limites que a vida e a convivência lhe colocam e tenta realizar todos os seus desejos erráticos ou conflitantes. Só que, como vimos, isso é impossível e só leva a viver uma vida sem sentido e sem rumo. O pior é quando não quer admitir essa sua situação e coloca a culpa ou a responsabilidade de sua infelicidade e ansiedade em todas as pessoas e na vida, menos em si.

No caso do jovem de nosso exemplo, ele tem um objetivo norteador na vida e assim, no interior de seu horizonte, apareciam-lhe algumas metas mais concretas: fazer um doutorado em uma universidade de ponta, após ter cursado uma ótima faculdade, que teria entrado por meio de um vestibular concorrido. Esses objetivos concretos lhe aparecem como metas ou obstáculos a serem vencidos para realizar seu potencial e desejo. Como ele se vê feliz na imaginação de seu futuro, o próprio caminhar para vencer esses obstáculos ou atingir essas metas mais próximas se torna um viver feliz.

Vemos claramente aqui que o viver feliz não significa ter uma vida sem obstáculos ou desafios. Muito pelo contrário, uma vida sem desafios é uma vida sem sentido, isso porque os desafios são inerentes aos objetivos na vida.

O problema todo é que, mesmo tendo a imaginação de uma vida feliz no futuro, a partir dos limites laterais, outros desejos não deixam de estar presentes em nossa vida. Quando esses desejos não são conflitantes com o sentido de vida assumido, não há problema. Mas, como a escolha de um caminho significa deixar de lado outros desejos que são bons, sempre reaparecem desejos que conflitam e até colocam em risco esse caminhar. A situação se torna mais difícil quando alguns desses desejos imediatos estão, na verdade, encobrindo um vício (todos nós conhecemos pessoas que dizem algo como: "Paro de fumar quando eu quiser, só não paro agora porque neste momento desejo fumar") ou estão intimamente ligados a alguns de nossos instintos e nossas paixões nossas que todos nós carregamos. A força desses desejos, nesses casos, torna-se imensa.

Nessas situações, não há como não ocorrer uma luta interna. O "eu" que deseja o desejo imediato entra em conflito com o "eu" que deseja realizações mais duradouras e de maior realização pessoal. Viver uma vida feliz, e não somente momentos imediatos prazerosos, pressupõe certa disciplina pessoal, uma capacidade de ordenar seus desejos imediatos erráticos para manter o sentido de vida assumida. Sem um horizonte de futuro assumido e desejado por nós, a disciplina não tem sentido; assim como sem disciplina não conseguimos atingir os objetivos que se nos apresentam nesse horizonte. Essa é uma das condições da liberdade e de uma vida feliz.

A questão é se temos força para lutar contra desejos imediatos quando isso nos convém. Muitos acreditam que não devemos, pois isso seria reprimir nossos desejos. Mas, quando saímos de afirmações mais genéricas para casos concretos, como o exemplo do rapaz em vestibular, a discussão toma um outro caráter. Podemos dizer que, em muitas ocasiões, precisamos de uma força quase heroica para vencer essa luta e nos manter no caminho de uma vida feliz, com sentido e alegria de viver.

Acrescentemos mais um fator. Como vimos nos capítulos anteriores, nós tendemos a querer o desejo de outras pessoas que assumimos como nossos modelos de desejo. Assim, muitas pessoas desejam e até necessitam, por exemplo, comprar um par de tênis de uma determinada marca famosa, mesmo que não pratique o esporte para o qual o tênis foi projetado, ou uns celulares de último tipo porque outras pessoas desejam ou têm. Talvez o próprio rapaz de nosso exemplo deseje aquela moça porque ela é bonita e desejada por outros rapazes. Muitos de nossos desejos imediatos e "imperativos" são na verdade desejos de outras pessoas internalizados dentro de nós.

Quando somos pressionados por esses desejos a tal ponto de não termos a liberdade de não querermos realizá-los, podemos estar sendo escravos deles. Mas como posso ser escravo do "meu" desejo? Eis a questão! Vimos antes que podemos estar em uma situação em que há um conflito sério entre dois desejos meus: entre um mais imediato e outro mediato; ou entre dois desejos imediatos conflitantes. Se o desejo é meu desejo, posso ter a liberdade de não buscar a realização de um por causa da escolha do outro. Isso faz parte do que entendemos por liberdade humana. Mas, se não tenho essa liberdade diante de um determinado desejo, que se manifesta tão intensamente que acaba sendo confundido com uma necessidade do instinto animal, estou sendo nesse momento escravo de meu desejo. Pior quando esse desejo imediato, que me escraviza, nem é meu desejo, mas do outro internalizado em mim. Lutar contra essa escravidão exige sabedoria para reconhecê-la e muita força espiritual para vencê-la.

Por isso Elie Wiesel, Prêmio Nobel da Paz e um grande estudioso da tradição judaica, diz: "A força física nunca impressionou nossos sábios, que definiram o heroísmo de outra forma. Reza a *Ética de nossos pais*: 'Quem é herói? Quem resiste aos próprios instintos'. Em outras palavras, heroísmo implica a conquista de si mesmo. Renunciar a algo que se deseja, superar a paixão é heroico".

Tradições sapienciais, como a judaica, que acumularam séculos de reflexão, desenvolveram noções de heroísmo, valor e sucesso humano que diferem bastante do senso comum de nossos dias. São sabedorias que vão além do imediato e das aparências, pois tiveram séculos de meditações, correções e reformulações e nos ensinam muitas verdades sobre questões mais perenes da realidade humana, como desejos, paixões e realizações. Podemos discordar dessas sabedorias, mas devemos reconhecer que há nelas questões importantes que merecem ser refletidas.

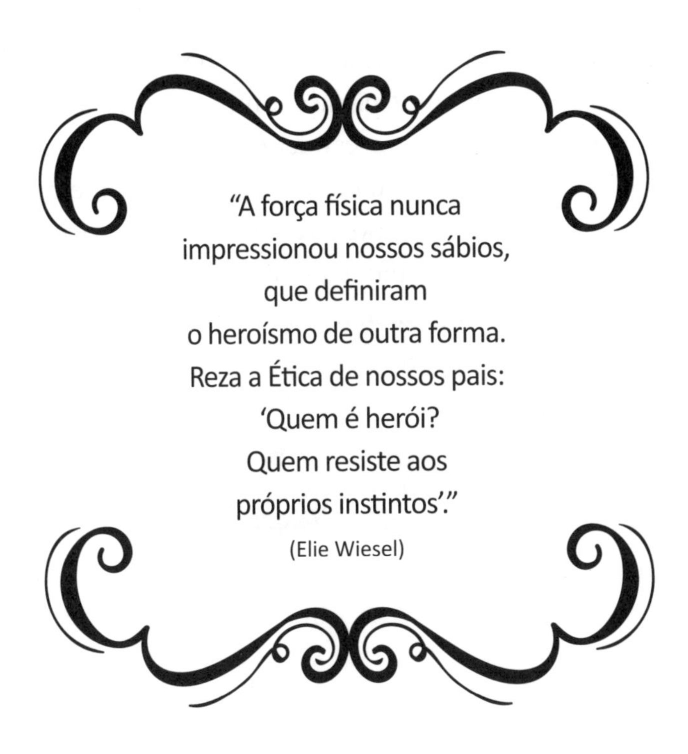
"A força física nunca
impressionou nossos sábios,
que definiram
o heroísmo de outra forma.
Reza a Ética de nossos pais:
'Quem é herói?
Quem resiste aos
próprios instintos'."
(Elie Wiesel)

Quando somos escravos do desejo ou quando buscamos realizá-los todos, não aceitamos a noção de limites. O desejo deseja ilimitadamente. Quando pensamos que estamos satisfeitos, o desejo se manifesta novamente "faminto" por um outro objeto de desejo e, assim, corremos uma corrida sem-fim, na qual a linha de chegada se afasta cada vez que pensamos que aproximamos dela. Por isso, para não cairmos nessa ansiedade de uma corrida sem-

-fim, por um desejo sem limites, precisamos saber estabelecer certos limites aos nossos objetivos e ao que nós consideramos necessidades para uma vida feliz.

Mahatma Ghandi, sem dúvida um dos homens que marcaram a história da humanidade com sua vida e sua sabedoria, diz-nos: "a civilização, no sentido real da palavra, não consiste na multiplicação, mas na vontade de espontânea limitação das necessidades. Só essa espontânea limitação acarreta a felicidade e a verdadeira satisfação". Afinal, a satisfação não é possível se a meta é inatingível, assim como a vida feliz não é possível se não reconhecermos nossa condição humana.

12
A compaixão que nos salva

Terminamos o capítulo anterior falando de um tema que não é muito comum em nossa cultura: a necessidade e os aspectos positivos de se colocar limites aos nossos desejos. Tenho plena consciência de que isso pode ser mal-entendido e gerar certa irritação no leitor. Todo o mundo moderno foi construído em nome da liberdade diante das instituições que nos reprimem ou oprimem e da promessa de um progresso que nos permitiria superar todos os limites, mesmo os da condição humana, e assim realizar todos os desejos.

Nossas reflexões feitas até aqui nos mostram que isso é uma ilusão vendida com um rótulo (falsificado) de ciência ou do mito do progresso. Não podemos viver uma vida feliz se, ao mesmo tempo, queremos eliminar todos os tipos de limite. Sem aceitarmos os limites da condição humana, não podemos nos realizar como seres humanos; e sem os limites "laterais" não podemos nos focar em nosso horizonte de futuro e nos grandes objetivos de nossa vida.

O problema dessa pretensão de negar todos os limites não afeta somente a felicidade das pessoas, também gera uma crise ambiental, que ameaça a própria sobrevivência de grande parte da humanidade. Todos nós sabemos que o efeito estufa, um dos aspectos mais graves dessa crise, que é mais ampla, coloca em risco a vida de muita gente e tem a ver com a emissão excessiva de gases. O que muitos talvez não saibam é que uma das causas mais profundas desse problema é o desejo insaciável de consumir cada vez mais, que domina nossa sociedade em escala global. As empresas capitalistas estimulam esse desejo para vender mais e mais e, com isso, produzem em um ritmo tão intenso que gera um desequilíbrio na natureza. Na verdade, estamos produzindo um novo tipo de equilíbrio ambiental em que nós os humanos teremos muita dificuldade de sobreviver.

Mencionei essa questão ecológica para mostrar que a discussão sobre o caminho de uma vida feliz não se reduz às questões meramente individuais, mas também tem profunda relação com as grandes questões sociais e ecológicas de nosso tempo.

E, nessa relação entre as opções pessoais e as questões mais sociais, há um tema fundamental: a compaixão.

Já vimos que não se pode ser feliz sozinho e que, na amizade, o compartilhar as alegrias e, os sorrisos, as preocupações, os sofrimentos e o choro é uma questão fundamental. Mas agora precisamos dar um passo a mais. Em nossa vida sempre encontramos ou cruzamos com pessoas que estão sofrendo por algum motivo. Nesses momentos todos nós somos, de um modo ou outro, tocados pelo sofrimento alheio. Isso se chama compaixão.

Para entendermos melhor, quero narrar uma conversa que tive com uma pessoa alguns anos atrás. Estávamos saindo de um banco, bem no centro velho de São Paulo, quando vimos na rua pessoas pobres pedindo esmola. Ela me disse: "Eu não gosto de vir para o centro por causa destas cenas que me deprimem. O centro está carregado de energias negativas e, cada vez que venho aqui, saio carregada dessa negatividade; mesmo quando volto para minha casa, sinto certo peso, mal-estar".

Eu não quero discutir aqui se a expressão "energias negativas" é a melhor para expressar o ambiente como aquele, mas o que posso dizer, com certeza, é que essa pessoa foi tocada pelo sofrimento daquelas pessoas pobres, algumas com crianças pequenas. O fato de ela sentir essa "energia negativa", até mesmo quando estava no conforto e segurança de sua casa (que devia ser muito boa), mostra que ela costumava ser tocada com certa profundidade e não sabia bem como lidar com isso. Mesmo as pessoas mais insensíveis são tocadas pelos sofrimentos de outras pessoas. Uma comprovação disso é que elas reagem de alguma forma a esse tipo de contato, mesmo que seja apenas para virar a cabeça. Esse virar a cabeça para não ver o rosto de uma pessoa que sofre mostra que foi tocada.

Ninguém é completamente insensível ao sofrimento de outras pessoas.

Hoje diversos experimentos científicos estão mostrando que essa é uma característica da espécie humana. Nós somos capazes de nos colocarmos no lugar do outro para compreender a intenção da outra pessoa e compreender o que quer dizer ou comunicar; assim como também somos capazes de nos colocar no lugar da pessoa que está nos sorrindo para entendermos – algumas vezes de forma meio equivocada – o sentido daquele sorriso para nós. Isso funciona também diante de uma pessoa que sofre. Eu me coloco no lugar dessa pessoa para poder compreender o sentimento de dor que se expressa no rosto dela ou em algum outro gesto. Ao me colocar no lugar do outro, para compreendê-lo, eu sinto o sofrimento com a pessoa que sofre.

A diferença entre as pessoas se dá na reação a essa experiência de compaixão. A dor e o sofrimento da outra pessoa me lembram de meus medos, minhas inseguranças e sofrimentos dos quais não quero me lembrar. Com isso, posso me fechar para a dor do outro para reprimir minha dor e esquecer de meus medos e minhas inseguranças; ou então me permitir sentir compaixão e assim tomar contato com minhas dores, meus sofrimentos e medos. É preciso muita força espiritual e coragem para enfrentar minhas dores mais fundas. Permanecer na compaixão não revela fraqueza ou "pieguice" de uma pessoa, pelo contrário, é sinal de sua força emocional e espiritual.

Reprimir o sentimento inevitável da compaixão é reprimir uma parte do "eu" que está nas profundezas de meu ser. Em outras palavras, quem nega o sentimento de compaixão não pode se conhecer, por isso nem consegue encontrar uma solução para seus problemas que foram escondidos, empurrados e trancados no mais fundo de si. Quem não é capaz de permanecer no sentimento de compaixão não consegue viver uma vida feliz, porque tenta negar sua própria natureza humana.

Por isso pessoas, como Dalai Lama, dizem que a felicidade depende da compaixão e que, para desenvolver o sentimento de compaixão, precisamos cultivar qualidades como "amor, paciência, tolerância, capacidade de perdoar, humildade e outras" e também "o hábito de uma disciplina interior".

Quando sentimos a compaixão, desejamos que os sofrimentos das outras pessoas cessem, não só porque as amamos ou acreditamos que elas têm direito a uma vida mais digna e humana, mas também para que nossos sofrimentos resultantes da compaixão sejam aliviados. Nesse processo, sentimo-nos compelidos a fazer algo para mudar a situação, assim como também incluímos, em nosso horizonte de futuro desejado, a superação das situações que causam esses sofrimentos. Abertura ao sofrimento alheio, que nos permite ter contato com nossos sofrimentos e medos, a esperança de um futuro, em que esses problemas foram solucionados, e ações concretas, que nos dão convicção firme de que estamos, dentro das possibilidades, fazendo a coisa certa para caminharmos em direção a esse futuro desejado, são elementos fundamentais de uma vida feliz.

Nesse caminhar, nós experimentamos aquela convicção "sim, é isto" que identificamos como um sinal importante de uma vida feliz, assim como também a gratificante experiência do encontro "face a face" com outras pessoas, sem as máscaras que carregamos nas nossas relações mais formais ou convencionais. Essa ideia merece um pouco mais de reflexão.

Quando encontramos uma pessoa, especialmente alguém que não pertence ao nosso "mundo", experimentamos outro tipo de limite. Não mais os limites laterais, que nos ajudam manter o sentido, nem os limites de frente, que são obstáculos a serem vencidos rumo ao nosso grande objetivo. Mas um limite de meu mundo e de meus desejos, o qual aparece na forma de um rosto que nos interpela e nos diz que ali começa outro mundo, o mundo de outra pessoa ou de outro povo ou de uma cultura, com diferentes desejos e modos de ver a realidade. Quando nós estamos imbuídos do espírito de "todo-poderoso", somos tentados a ignorar este outro, que coloca limites ao meu desejo e ao meu mundo, e passar por cima dele, negando a dignidade e a particularidade do jeito dele de ser. Com essa vontade de poder, acabo por transformá-lo em um objeto ou em um instrumento de meu projeto ou excluo-o de meu mundo. Nesses casos, usamos os critérios que nossa cultura chama de "normal" para julgar e "menosprezar" pessoas que vivem em outra cultura, com outros valores e critérios. Um migrante pode ser transformado em um simples "ignorante e imprestável" ou uma pessoa de uma outra religião em um simples "herege ou infiel".

Esse é um momento crucial na busca por uma vida feliz. Se sou capaz de reconhecer que, por trás de aparências culturais, religiosas, étnicas, econômicas, sexuais etc., que não obedecem a meus padrões, existe uma pessoa com plena dignidade humana, sou também capaz de me reconhecer como uma pessoa com plena dignidade por trás de meus papéis sociais, das "máscaras" que uso nas mais diversas relações sociais. É isso que chamamos de encontro "face a face"; um encontro que realmente nos faz sentir que somos mais do que todos os nossos papéis sociais (pai, mãe, filho, empresário, funcionário, colega, torcedor etc.) juntos, que há em nós algo de infinito que transcende a todas as convenções sociais, religiosas ou familiares. Uma experiência que nos dá um senso de unidade e dignidade por trás de todas as nossas contradições e todos os nossos conflitos.

Antonio Damásio, um famoso neurocientista, tentou compreender em termos biológicos o que ele chamou de "vida do espírito", que tem muito a ver com nossa reflexão feita até aqui. Ele associa a noção espiritual "a uma experiência intensa de harmonia" e de sentimentos de alegria, geralmente serena, que "ocorre em associação com o desejo de agir, em relação aos outros, com generosidade e amabilidade". Em segundo lugar, ele diz que "as experiências espirituais nutrem o ser humano" porque os comportamentos de cooperação humana ativam os sistemas cerebrais do prazer e da recompensa. Em terceiro lugar, para ele "a capacidade de evocar experiências espirituais está à nossa disposição".

O que quero destacar aqui é a convergência que encontramos em diversos campos de saber e de pensadores sobre a relação entre a compaixão, a ação em prol de outras pessoas e uma vida feliz.

Compaixão e amor encarnado em ações concretas – que buscam superar situações de opressão, dominação, marginalização, exploração ou exclusão que geram sofrimentos de tanta gente – são elementos fundamentais tanto para uma vida pessoal quanto para uma sociedade mais humana. Não se pode ser feliz sendo insensível a tanto sofrimento e a tanta dor. Por isso, Dalai Lama diz:

> A compaixão e o amor não são artigos de luxo. Como origem da paz interior e exterior, são fundamentais para a sobrevivência de nossa espécie. Por um lado, são a não violência em ação. Por outro, são a fonte de todas as qualidades espirituais: a capacidade de perdão, a tolerância e todas as demais virtudes. Além disso, são o que de fato dá sentido às nossas atividades e as tornam construtivas.

É claro que não devemos cair novamente na tentação e pressão de sermos perfeitamente compassivos e capazes de ações perfeitas e plenas para salvar o mundo. É mais fácil falar da importância da compaixão do que realmente cultivá-la, assim como também é mais simples dizer que devemos amar por meio de ações concretas do que realmente praticá-las. Só na medida em que aceitamos nossa dificuldade é que poderemos viver e fazer o que podemos de fato.

Ninguém de nós está convocado para salvar o mundo, mas podemos fazer diferença na vida de muitas pessoas e muitos lugares. São essas diferenças que melhoram a vida de outras pessoas, que nos faz ver e sentir que vivemos de fato, que estamos nos realizando como humanos. O importante é sabermos o que podemos fazer agora e em médio e longo prazo, pois não devemos esquecer que uma vida feliz sempre implica um horizonte de futuro. E o futuro nos chama a alimentarmos a esperança, a sabermos que o mal e os sofrimentos, que nos afligem agora, não são eternos nem absolutos e que o novo e o bem estão sempre surgindo nos lugares menos esperados, pelas frestas dos muros, que parecem intransponíveis.

Sei que é mais fácil dizer essas coisas bonitas do que fazer algo de concreto. Mas, se olharmos com calma e cuidado nossa vida e nosso redor, poderemos ver que podemos fazer a diferença, modificando-nos e modificando nossas relações cotidianas. Lembro-me de uma aula no ensino médio (muitos anos atrás, do tempo em que era chamado de colegial), em um colégio católico de classe média, quando umas alunas defenderam a ideia de que não havia muito que mudar em seu cotidiano. Pedi, então, que elas descrevessem o cotidiano delas na escola. Na descrição delas, não apareciam pessoas indispensáveis para o bom funcionamento da escola: as faxineiras. Elas perceberam que essas faxineiras tinham sido "invisibilizadas", não existiam no mundo delas. Na aula da semana seguinte, elas comentaram a reação de estranhamento por parte daquelas faxineiras quando elas as cumprimentaram pela primeira vez. A partir dos dias seguintes, o cumprimento matinal entre elas tinha se tornado parte do cotidiano e a relação entre elas mais humana. Uma pequena mudança, quase imperceptível para outras pessoas, fez muita diferença na vida daquelas alunas – que passaram a ver o mundo e as pessoas de um outro jeito – e na vida daquelas faxineiras.

Esse pequeno exemplo nos mostra que há muita coisa a ser mudada em nosso cotidiano. Se olharmos um pouco para além de nosso entorno, poderemos ver que há outros problemas e trabalhos em que podemos colaborar. Há associações, organizações, comunidades religiosas e outros tipos de grupos perto de nós tentando fazer diferença na vida de pessoas e no meio ambiente. Assim como há ações mais amplas e de longo prazo procurando criar uma nova sociedade mais justa e humana. Podemos fazer nossa pequena parte dentro de grandes redes tecidas de pequenos esforços de muita gente.

O importante é não nos conformarmos, nem nos fecharmos em nossa concha interior nem fugirmos de nossa responsabilidade diante do sofrimento de outras pessoas e do meu "eu" mais profundo. Responsabilidade essa que nasce da compaixão. Assumir uma postura de vida ativa, diante dessa responsabilidade, ser solidário é fundamental para viver uma vida feliz. Compaixão, responsabilidade e solidariedade são valores fundamentais para salvarmos o mundo e nossa vida do cinismo, da indiferença e da desumanização.

Mesmo que nossa vida e o mundo não se transformem na intensidade e na velocidade de nossos desejos, sabemos que nossas ações transformam ou modificam para melhor não somente a vida de outras pessoas, mas também nós mesmos.

Elie Wiesel nos oferece uma pérola do pensamento talmúdico sobre isto:

A caridade salva da morte. [...] O que é a caridade? Os vivos devem se preocupar com a tristeza ou doença do próximo. Quem não se preocupa não é realmente sensível; quem não é sensível não está realmente vivo. E este é o significado do apelo do shammash: a caridade nos livra de morrer em vida.

"A caridade nos livra
de morrer em vida."
(Elie Wiesel)

13
Permanecer no amor

Estamos nos aproximando do final de nosso diálogo e de nossas reflexões. Se fôssemos resumir em uma ideia central de tudo o que vimos, eu poderia tentar dizendo: "O amor é o caminho e a meta de uma vida feliz".

Na primeira carta de São João, encontramos um ensinamento de imensa valia para nossa jornada:

> Ninguém jamais contemplou a Deus.
> Se nos amarmos uns aos outros,
> Deus permanece em nós e seu amor é realizado. [...]
> Deus é Amor:
> aquele que permanece no amor
> permanece em Deus e Deus permanece nele. (4,12 e 16)

São João nos diz algo que é surpreendente quando se trata de um texto religioso: "Ninguém jamais contemplou a Deus". Isso não significa que ele não crê em Deus, mas que ele está nos indicando outra direção para conhecermos a Deus. É no amor, e não pela visão, que podemos conhecer a Deus; pela experiência de sentirmos em nosso amor humano a realização e a permanência de um Amor mais profundo que transcende nossas contradições e conflitos. É no amor humano que podemos conhecer a Deus, porque Deus é Amor.

Continuando nessa linguagem religiosa, podemos dizer que Deus não é encontrado nas colunas dos grandes e ricos templos nem nos rituais pomposos de igrejas e religiões que se declaram "proprietárias da presença de Deus". Pelo contrário, Deus se revela, aparece e permanece no meio de nós à medida que amamos, com todas as limitações, contradições do amor humano e nossa condição humana. É no amor imperfeito, que se reconcilia com sua imperfeição, que Deus-amor se realiza no mundo. Assim, só podemos "ver" e "mostrar" Deus por meio de pessoas que, amando a outras pessoas e a si próprias, sempre se reconciliam e, tomadas por compaixão, lutam solidariamente para que todos nós possamos viver uma vida mais humanizante. É no interior desse caminho espiritual que Deus se faz presente.

Essa visão não nos dá muita segurança nem certeza. Mas é exatamente porque Deus, por ser amor, não pode ser objeto de certeza nem produzir segurança na vida que só podemos sentir sua presença no caminho do amor. Quem busca certeza e segurança não pode caminhar e permanecer no Amor. Por isso as tradições religiosas, especialmente a cristã, falam da fé em Deus e não da certeza. Quem pensa que tem certeza sobre Deus acha que não precisa da fé e da esperança.

Essa sabedoria de São João, apesar de ter sido escrita em uma linguagem explicitamente religiosa, pode também ser lida sem pressupor a fé que ele nutria. Pessoas que não compartilham da fé de São João podem também aprender ou dialogar com ele retomando a ideia de santo Agostinho de que a procura por Deus é a procura pela verdadeira felicidade. Para facilitar isso, vamos substituir a palavra "Deus" pela "felicidade":

> Ninguém jamais contemplou a Felicidade.
> Se nos amarmos uns aos outros,
> Felicidade permanece em nós e seu amor é realizado. [...]
> Felicidade é Amor:
> aquele que permanece no amor
> permanece em Felicidade e Felicidade permanece nele.

Para ouvidos e olhos mais acostumados com texto bíblico, essa formulação pode parecer meio profana demais. Mas, acho que cabe perfeitamente. Todos nós buscamos naturalmente a felicidade, mas ninguém jamais a viu. Só conhecemos pessoas que viveram ou estão vivendo uma vida feliz no interior das dificuldades e alegrias de vidas normais. Com elas aprendemos que a felicidade não se encontra nas paredes luxuosas das grandes mansões ou nas cifras imensas que brilham nas telas de computadores. A felicidade dessas pessoas tem a ver com vidas embebidas de amor, compaixão e solidariedade. São pessoas que sentem que sua vida vale a pena ser vivida, que estão se realizando como seres humanos, independentemente do sucesso ou não de sua vida profissional ou social. Pessoas que, com sua vida, inspiram-nos e nos dão força para seguirmos nossa jornada de viver uma vida verdadeiramente feliz e de nos humanizarmos.

Há uma passagem na segunda carta de São Paulo a Timóteo que sempre me chamou muita atenção. Paulo, por causa de sua vida missionária, que conflitou com os interesses e cosmovisão do Império Romano, está preso em uma prisão romana – o que não devia ser nada agradável – e é abandonado pelos muitos companheiros de sua fé. No meio desse sofrimento, que ele assume explicitamente, diz a seu discípulo, que chama de filho amado: "Combati o bom combate, terminei minha carreira, guardei a fé" (4,7). Sempre fico impressionado quando imagino essa cena. Mesmo no sofrimento da prisão e do abandono por parte de muitos companheiros, em uma situação de aparente fracasso, ele não se lamenta nem guarda rancor. Pelo contrário, ele diz "combati o bom combate", que eu traduziria de uma forma muito livre: "Se eu pudesse viver de novo, eu faria tudo novamente". Ele tem a convicção de que viveu bem, de que viveu uma vida feliz!

A razão disso não foi o sucesso, que pode ser medido em números ou em prestígio social, mas a convicção de que ele fez o melhor que pôde para seguir o caminho no qual ele apostou sua vida (a fé). Este homem, que lamentava não fazer o bem que queria, mas o mal que não queria, está satisfeito com a vida que viveu. Eu também gostaria muito de chegar ao final de minha vida com essa convicção.

"Combati o bom combate,
terminei minha carreira,
guardei a fé."
(São Paulo)

Espiritualidade como um caminho para uma vida feliz nos aponta para um horizonte aberto, marcado pela esperança e pelo amor. Nesta jornada o mais importante não é a chegada, que sabemos que não acontecerá, nem a conquista de metas planejadas, mas o próprio caminhar, o próprio viver o amor e a realização humana. A expressão "caminho espiritual" é apropriada, mesmo que não pressuponha uma fé religiosa, pois é feita de uma aposta existencial; caminhamos nele movidos por uma força espiritual – que nasce do amor e da compaixão –, que nos ajuda a vencer as dificuldades e os obstáculos que a vida nos coloca. Esse caminho é marcado por reflexões e meditações, que nos ajudam a ver com mais clareza os caminhos ainda obscuros de nosso interior e as contradições de nossa vida no mundo. Penso que é um caminho que vale a pena trilhar.

E, se Deus realmente se fizer presente no amor, na reconciliação, na compaixão e na solidariedade, como esperava São João e tantos outros místicos e santos de tantas tradições religiosas, seremos surpreendidos com a felicidade de alegrarmos em Deus. Mas, mesmo que essa esperança não se realize, teremos, com esta jornada, vivido uma vida feliz, com paz interior, alegria, serenidade e sentido de viver.

Permanecer no amor é a chave para uma vida feliz. O amor entendido de uma forma mais complexa e rica do que nossa cultura está acostumada a tratar. Um amor que vai além do amor sensual e afetivo; um amor que impulsiona para ação solidária e para reconciliação. Um amor que Paulo, em seu famoso hino, chamou de ágape, que uns traduzem de amor e outros de caridade:

> Ainda que eu falasse línguas,
> as dos homens e as dos anjos,
> se eu não tivesse o amor (a caridade),
> seria como bronze que soa
> ou como címbalo que tine.
> Ainda que tivesse o dom da profecia,
> o conhecimento de todos os mistérios
> e de toda a ciência,
> ainda que tivesse toda a fé,
> a ponto de transportar montanhas,
> se não tivesse o amor,
> nada seria. [...]
> O amor é paciente,
> o amor é prestativo,
> não é invejoso, não se ostenta,
> não se incha de orgulho.
> Nada faz de inconveniente,
> não procura seu próprio interesse,

não se irrita, não guarda rancor;
não se alegra com a injustiça,
mas se regozija com a verdade. (1Cor 13,1-6)

Referências bibliográficas

DALAI LAMA. *Uma ética para o novo milênio*. Rio de Janeiro: Sextante, 2000.

DAMÁSIO, Antonio. *Em busca de Espinosa:* prazer e dor na ciência dos sentimentos. São Paulo: Companhia das Letras, 2004.

MARÍAS, Julian. *A felicidade humana*. São Paulo: Duas Cidades, 1989.

MATURANA ROMESÍN, Humberto; VARELA GARCÍA, Francisco J. *De máquinas e seres vivos:* autopoiese: a organização do vivo. 3. ed. Porto Alegre: Artes Médicas, 1997.

SANTO AGOSTINHO. *Confissões*. São Paulo: Paulus, 1997.

TUTU, Desmond. *No Future without Forgiveness*. New York: First Image Book, 2000.

WIESEL, Elie. *Homens sábios e suas histórias:* retratos de mestres da Bíblia, do Talmude e do hassidismo. São Paulo: Companhia das Letras, 2006.